略奪者のロジック 超集編

ディストピア化する日本を究明する201の言葉たち

秋嶋亮

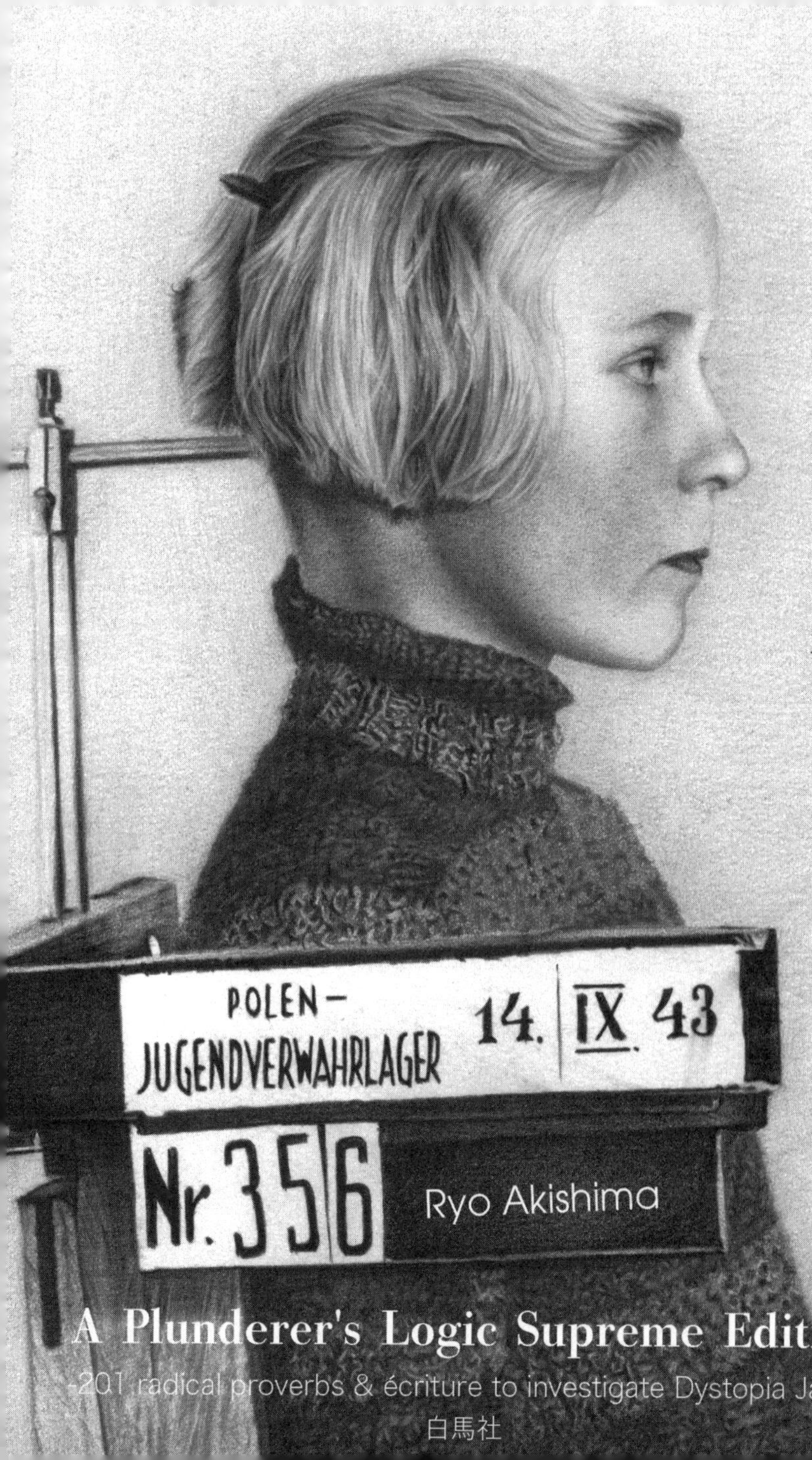

Ryo Akishima

A Plunderer's Logic Supreme Edition

-201 radical proverbs & écriture to investigate Dystopia Japan-

白馬社

まえがき

滅びの時代である。

原発事故は未だ収束の目途すら立っておらず、その渦中でグローバリズム《多国籍企業支配》が亢進し、我々の社会は今まさに存亡の危機に瀕しているのだ。すなわち未曾有《レベル7》の原子力災害と三重の植民地主義《EPA・TPP・FTA》が同時進行するというカタストロフィ《破滅状態》が生じているのだが、国民は全く理解が覚束ないのである。

脅威とは脅威それ自体よりも、脅威を脅威として認識できないことなのだろう。つまり脅威の実体や、構造や、力学や、論理について無知であることが最大の脅威なのである。

すでに特定秘密保護法と共謀罪法が施行されているのだが、これらの法意が情報の開示や権利の請求を封じ、抵抗運動を取り締まることにあることは語るまでもない。つまり暗黒法は征服地住民《マルチチュード》である我々を弾圧するため外国の資本によって制定されたのである。

現に国家元首はこれが宗主国《アメリカ》の要請に拠ると公言しているのだから議論の余地すらないだろう。そしてセキュリティの総仕上げとして憲法の改悪が構想されながら、今や政府とメディアはその推進機構に成り果て、民主制度《ポリアーキー》の一切を駆逐しようとしているのだ。

表紙はポーランドのナチ強制収容所で撮影されたマグショット《囚人写真》の復元であるが、本書を読み進むにつれ、この図像が近未来の直喩《シムリー》であると理解できるだろう。すでに我々の誰もが「格子なき牢獄の捕囚者」なのである。

かくして本書は喫緊の問題を赤裸々な言葉と簡潔な解説で表し、

直感と論理の双方から理解を促すことを企図したものである。それは例えれば点火プラグとガソリン混合気の相関であり、201のエクリチュール《記述群》は意識のシリンダーで激しい爆発を繰り返しながら蒙《もう》を開くのだ。

なお副題の超集編とは、これまで私家版《オンデマンド》を含め4冊刊行されたシリーズから選り抜いた言葉と、筆者のブログからツイッターなどに転載され多くの反響があったパラグラフ《文章群》を収録して加筆したものであること、つまり渾身のマスターピースの意であることを申し添えておく。

おそらく本書で列挙する事実は絶望と混迷をより一層深めるのだろう。

しかし我々はそのようなアポリアをドン詰まり《ドンづまり》を住処《すみか》とするのではなく、そこを起点として新たなプロジェ《自己の発展》に挑むのであり、つまるところ筆者は、可能性のために虚構を粉砕する「能動的ニヒリズム」の装置として本書を贈るのである。

前置きはこれぐらいにしておこう。さあ、全身に毒を浴びたまえ。

秋嶋　亮

目次

第1章 グローバリズムという悪夢

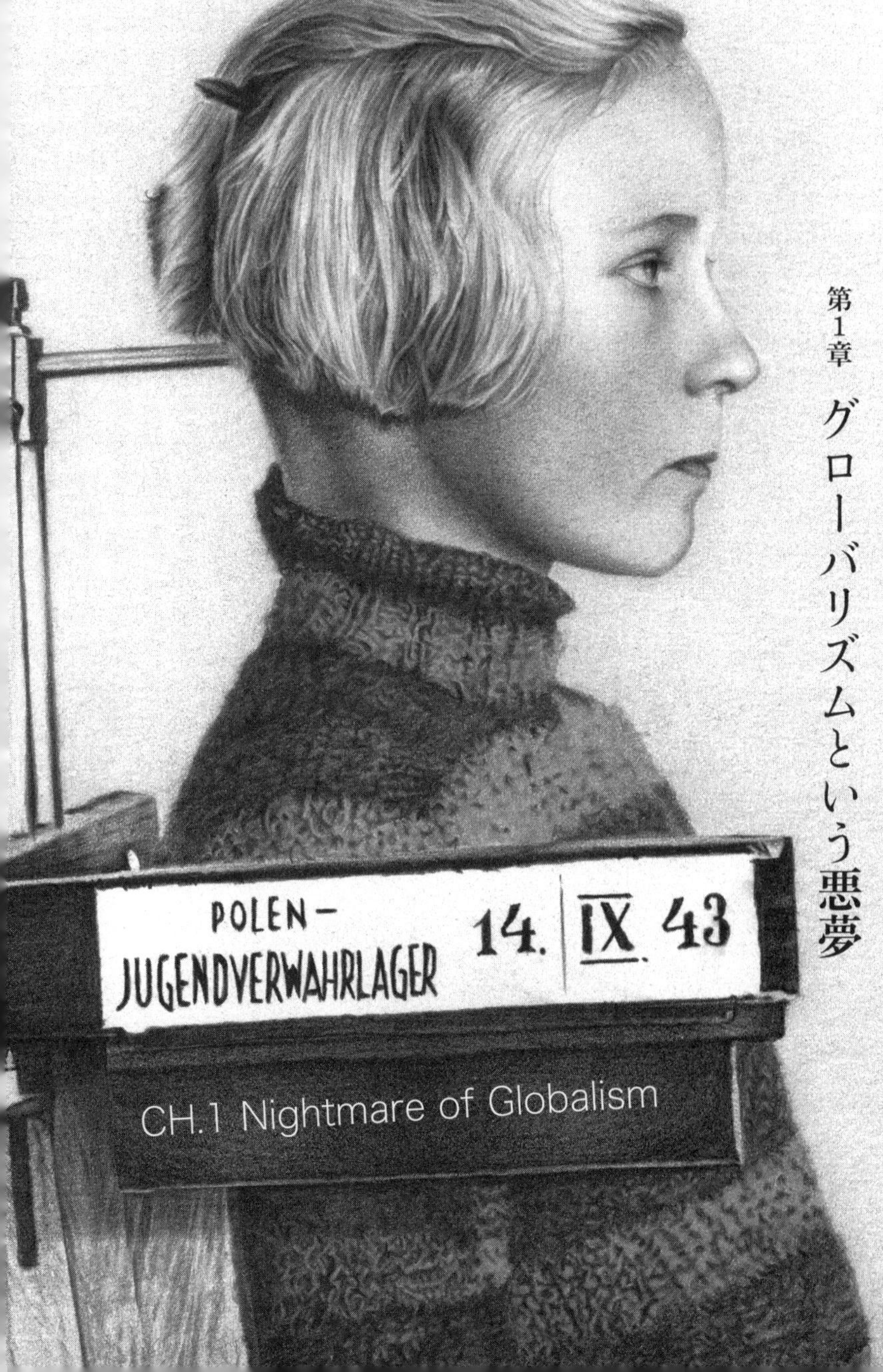

CH.1 Nightmare of Globalism

1

大勝利だ！これ《日米FTA》はアメリカの農家と牧場主に莫大な利益をもたらす勝利なのだ！

ドナルド・トランプ（第45代アメリカ合衆国大統領）

農林水産省によると、自由貿易で関税が撤廃された場合、国産の米が90％、小麦が99％、乳製品が56％、牛肉が75％、豚肉が70％減少するという。市場総額では実に4・1兆円が消失する試算である。つまり日本の農業畜産は事実上終わるのだ。国民は食料を外国に依存して存続できた国が人類史上ないことをよくよく考えるべきだろう。これは食料主権だけの問題には決して止まらないのだ。

2

アメリカの穀物は兵器である。食糧はアメリカの強力な外交手段なのである。

アール・バッツ（米国の元農務長官）

アメリカは日米自由貿易協定《FTA》を通じ「米国の農畜産物を差別する非関税障壁」の撤廃を求めている。要するに発ガン性や催奇《さいき》性が指摘される遺伝子組み換え食品の規制や、BSE《海綿状脳症》牛の月齢制限や、残留農薬基準などの大幅な緩和を求めているのだ。そしてすでに彼らの要請により「遺伝子組み換えではない」という表示を実質禁止することが決まっているのだ。このように自由貿易の恐怖とは、シェーレ《内外の価格差の拡大》によって国内の生産者が駆逐《くちく》されるだけでなく、国民の健康や生命が脅かされることなのである。

3

自由貿易とは多国籍企業だけが利益を得る仕組みである。

バラク・オバマ（第44代アメリカ合衆国大統領）

大英帝国に植民地化された18世紀のインドでは、イギリス産の綿織物によって家内工業が根絶やしにされ、国中が餓死者で溢れ返ったという。これは関税権の消失が破滅的事態をもたらすエピソード《歴史事例》だが、現代でも自由貿易に加盟したほとんどの国で市民生活は悪化しているのだ。それにもかかわらず、日本はＴＰＰ・ＥＰＡ・ＦＴＡという三重の自由貿易協定を結んでしまったのである。

4

市場参入を阻む国々の門戸を力ずくでこじ開けなくてはならない。たとえ他国の主権を踏みにじるとしても、投資家の特権を保護しなければならないのだ。

トーマス・ウッドロウ・ウィルソン（第28代アメリカ合衆国大統領）

結局のところ自由貿易とは多国籍企業による「間接侵略」なのだ。要するに彼ら自身は外交組織や軍事機構を持たないため、本国《アメリカ》にそれを代理させるという方法論なのである。かくして外資の支配は農業や畜産だけでなく、製造、建設、通信、運輸、ＩＴ、金融、小売り、サービス、保険など産業の全域に及ぶのだ。

5

私が見るところ世界中のどの国も国際裁判で勝った試しがない。勝つのはいつも多国籍企業なのだ。

エボ・モラレス（第80代ボリビア大統領）

筆者は日米自由貿易協定《FTA》に「間接収用の禁止」が盛り込まれると予測している。そうなれば民営化されたインフラを再公営化しようとしても、それが投資家の利益を損ねるとして撤回されるのだ。また各国の先例からしても、新たな環境基準を設けたり、食品の安全基準を引き上げたりすることはＩＳＤＳ《投資家対国家の紛争解決》訴訟の対象となるだろう。そしてそのような事態となっても条約の廃棄は許されないのである。

6

有色人種で唯一白人に刃向かった日本を叩きつぶす計画は、昭和20年8月15日に終わったのではなかった。

清水馨八郎（日本の地理学者）

外資に都合の悪い制度は片っ端からＩＳＤＳ《投資家対国家の紛争解決》訴訟されるだろう。それは産業だけでなく、医療、教育、介護、福祉、環境、労働など国民社会の分野にまで及ぶのだ。そもそもバルジ・ブラケット《一流投資銀行》9社の内5社が米国に本拠地を置いているのだから、米国と自由貿易協定を締結すれば、日本の行政がその支配下に入るのは当然なのである。

現代の自由貿易とはグローバル資本の戦争外作戦《OOTW》なのだ。

7 巨大な多国籍企業が世界を上から鷲づかみにする。

二宮厚美（日本の経済学者）

要するにFTAやTPP《環太平洋提携協定》は現代版の「自由貿易帝国主義」なのだ。つまり19世紀のイギリスのように通商条約の枠組みで対象国を支配する構想なのだ。換言するならば、武力を用いずに相手国を植民地化する「非公式の帝国主義」なのである。これによって儲かるのは多国籍企業とそのステークホルダー《利害関係者》だけであり、この国は大没落を余儀なくされるのだ。

8

私たちは印象操作された翻訳を前提にＴＰＰを審議しているのです。

山本太郎（日本の政治家）

ＦＴＡやＴＰＰには日本語の正文（誤訳や齟齬《そご》が生じないよう約款を明瞭に示したもの）が存在しないという。他の加盟国に対しては各国の言語で正文が用意されていることからすれば、国際社会における日本の地位がどの程度か察しが付くだろう。このように議会は官僚が意訳した条文を形式的に審議したに過ぎず、とてつもなくヤバい協定だと知りながら協定を結んだのだ。

9

市場の膨張主義は多国籍企業の〝非公式の帝国〟つまり〝市場の帝国〟を作る。

二宮厚美（日本の経済学者）

日米自由貿易協定《FTA》の大綱である「外国貿易障壁報告書」には対日政策がギッシリと記されている。それによるとアメリカ政府は米国研究製薬工業協会《PhRMA》の要請により、日本の薬価の決定権を掌握し、安価なジェネリック医薬品を規制する目論見なのだ。かくして厚生行政はビッグファーマ《巨大医薬品企業》によって支配されるのである。

10

外資支配とは日本的システムとは異質の論理に立つ〝倫理なき資本主義〟であり、非持続的な経済社会をもたらす。

内橋克人（日本の経済評論家）

アメリカの最大の狙いが医療・薬品・保険の分野であることは間違いない。日本は毎年42兆円の医療費を投じる巨大マーケットであり、これらの企業《ビッグファーマ》にとって最後の征服地《ブルー・オーシャン》なのだ。米韓ＦＴＡの先例からすれば、今後数年以内に国保の適用が大幅に狭められ、高度な医療を受けるには、Ａｆｌａｃなどの外資保険に加入せざるを得なくなるだろう。

11

幻想の網とは、現実を歪め、物事を正常に認識させないようにする誤魔化しとトリックの迷宮である。

ロレッタ・ナポレオーニ（イタリアの経済学者）

これ《FTA》は実質として一般国民を医療から排除する宣言なのだ。しかし条約は（生存を保障する）憲法より上位に置かれるため暴虐がまかり通るのである。自由貿易という建前によって互恵関係という虚像が作られ、国民は集合的誤認に沈められているのだが、このようにグローバリズムとは（米国のように所得格差を生存格差に繋げる）競争的統一性を社会原理に据える運動なのである。

12

彼らは医療に大金を要することや、それによって貧しい人々が死ぬことを素晴らしいことだと思っているのです。

イーロン・グリーン（イギリスの作家）

国民皆保険制度だけでなく（医療に商業主義を持ち込んではならないとする）病院法もＦＴＡやＴＰＰの枠組みで機能を失うだろう。そうなれば簡単な開腹手術でも数百万円を要する事態となり、国民の多くが医療破産しかねないのだ。まして今後は原発事故の影響によりガンなどが増加することは確実とみられている。つまるところグローバル化の脅威とは、未曾有の多病社会を迎える中でケイパビリティ《医療や保険の権利》が解体されることなのである。

13

問題は世界政府が合意によって形成されるか、征服によって形成されるかだけである。

ジェームズ・ポール・ウォーバーグ（マンハッタン銀行の元取締役）

野党は「FTA《自由貿易協定》が発効されても公的な保険と医療は守る」などと主張しているが、これは口約束に過ぎない。繰り返すが通商条約は憲法より上位に置かれることから、この図式《シェーマ》においては多国籍資本が国民の代表議会よりも権力を持つのだ。すなわち国会は形骸化し単なる飾りになるのだ。グローバル化とは支配力の越境作用なのである。

14

私たちの暮らしは「ならず者経済」によって作り変えられてしまう。「ならず者経済」は私たちの生き方だけでなく死に方までも支配している。

ロレッタ・ナポレオーニ（イタリアの経済学者）

保険や医療のプレミアム化は「全てを市場に委ねよ」というフリードマン理論の実践なのである。この思想の危険性とは市場原理を持ち込んではならない分野に市場原理を持ち込むことであり、それによって社会権（人間が人間らしく生きるための権利）が抹消されることなのだ。つまるところネオリベラリズム《新自由主義》とは有産階級による生存権《ドロワ》の解体なのである。

15

各国のリーダーたちはＩＭＦ《国際通貨基金》の要求を盾にして反対派を黙らせ、喜んで公共の水道施設を売り払った。それにより莫大な手数料が得られるからだ。

ジョセフ・スティグリッツ（米国の経済学者）

水道の民営化に際しては、所有権を自治体に残したまま運営権を売却するコンセッション方式が採られている。しかしいずれも住民投票などの手続きがなく、行政の独断で決定されながら、苦情や反対意見が大して寄せられていないのだ。やはり日本人は民主主義の理解と運用力《デモクラティック・リテラシー》が根本的に欠けており、そのような態度が低度民主主義《ロー・インテンシティ・デモクラシー》の温床となっているのだ。

16

国家財産の売却価格をほんの数十億ドル差し引くだけで、スイス銀行の口座に10％のコミッション《謝礼金》が振り込まれる。

ジョセフ・スティグリッツ（米国の経済学者）

2000年から僅か15年の間に、37の国が民営化した水道を公営に戻している。水道料金の異常な高騰や水質の悪化がその主な理由だが、再公営化には莫大なペナルティ《賠償金》が科せられ、市民がその負担を強いられているのだ。日本の水道料金も今後数倍になるとも指摘されるが、貧困世帯の多くが支払いできず断水される事態となるのかもしれない。それはつまり水という社会的共通資本が外資に奪われることによる惨害なのである。

17

アングロサクソンは軍事力による支配が表立ってできなくなり、グローバルスタンダード《国際標準》や自由貿易という手段に切り換えた。

清水馨八郎（日本の地理学者）

台風による被害は年毎に大きくなるだろう。なぜなら国有林の売却法案が成立しており、これまで治水の役目を果たしてきた樹木が伐採され、洪水や土砂災害が増えることは確実なのだ。そのうえ水道の民営化も始まっており、汚泥の洗浄などの後片付けに途方もない費用を要することになるのだ。かつて欧米列強に支配された国々が示す通り、植民地主義《コロニアリズム》は環境を破壊し生存を脅かすのである。

18

中高年転職者、若年層のフリーター、外国人という三つの階層で膨大な低賃金労働者を、あっという間に日本の中に作り上げることが可能となる。

森永卓郎（日本の経済評論家）

これから外国人労働者が毎年20万人ベースで流入し、その内約30％が製造業に配置される見込みだ。つまり国民の雇用の受け皿であった分野が移民の受け皿となる格好であり、こうなると失業率が高止まりするだけでなく、国民の賃金も移民の安い賃金に準じて引き下げられるのだ。これはつまり移民社会がもたらすノーマル・アクシ《必然の結果として起きる》デント《事件》なのである。

19

シカゴ学派の改革が勝利を収めた国では、人口の25％から60％の固定的な底辺層が生まれ、社会は一種の戦争状態の様相を呈している。

ナオミ・クライン（カナダのジャーナリスト）

年金の先送りによって高齢者を働かせ、入管法の改正によって何百万人もの移民を受け入れ、大企業のリストラによって失業者を増大させ、家計の圧迫により主婦をパートに駆り出し、学費に苦しむ学生にアルバイトを強いるとなれば、仕事の争奪戦となり賃金は上がらないだろう。結局安い人件費によって投資家がボロ儲けするカラクリであり、理不尽な雇用競争《ジョブ・コンペティション》は配当政策のために行われるのだ。

20

市場原理主義とは法律を変えてでも儲ける機会を作ることです。それを貫く思想をグローバリズムと言います。

宇沢弘文（日本の経済学者）

多国籍資本のガバナンス《統治行為》が国家会計にまで及ぶことからすれば、おそらく教育や福祉などの予算をさらに削減し、企業減税などの穴埋めにすることが求められるだろう。ちなみに過去３年の間に約１兆２０００億円の社会保障費が削減されたのだが、これとほぼ同額のカネがアメリカ製戦闘機の購入に充てられており、今後ＴＰＰ・ＥＰＡ・ＦＴＡという三重の貿易協定の枠組みが、このような搾取的な構造を強化することは間違いないのだ。つまるところグローバリズムとは国家の無権力化なのである。

第2章 国家としての日本は消滅した

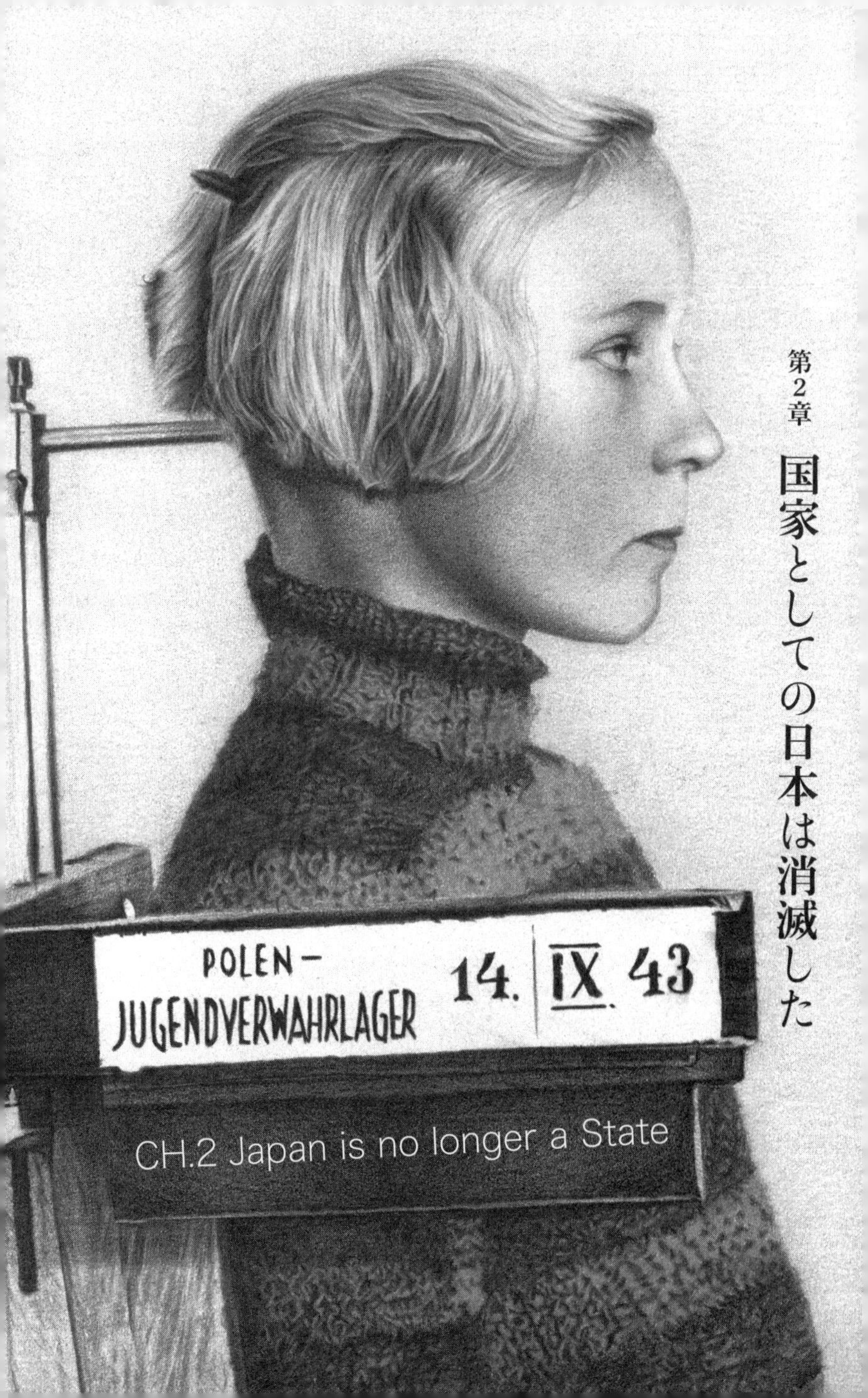

CH.2 Japan is no longer a State

21

ネオリベラリズム《新自由主義》とは、一握りの個人の利益を追求するために、民衆を隷属させ、民主主義の原理を歪めて悪用することである。

シャーン・グリフィスス（米国の編集者）

過去20年で先進国の賃金が概ね倍増しながら日本だけが全く上がっておらず、もはや最低賃金の低さは「生存権を脅かすレベル」だと国連からも非難されている。それにもかかわらず、移民の解禁や派遣の強化などにより、今後も日本の賃金は全く上がる見込みがないのだ。そもそもネオリベラリズム《新自由主義》とは、国民《99%》の貧困化により特権層《1%》の利益を図る営みであることから、これは決して政策の失敗ではなく、真逆に政策の成功なのである。

22

金融資本や独占資本にとって、政治家はただの駒なのである。

羽仁五郎（日本の歴史家）

四半世紀も消費不況が続いているのだから、本来であれば正規雇用を義務付け（派遣を原則禁止し）、中間層の所得を引き上げ、減税を実施し、社会保障を整え、その原資を確保するため法人税を強化しなくてはならない。しかし政府はこのような施策を一切採らないのだ。なぜなら基本財（労働や社会保障などの権利）の破壊がグローバ《世界覇》リスト《権者》の目標であり、国会に命令する彼らの構想だからである。

23

「新自由主義」とは名ばかりで、実態は東インド会社がやっていたような植民地支配を合法的にやっているに過ぎない。

竹下雅敏（日本の思想家）

自公政権が推進する新自由主義《ネオリベラリズム》とは福祉国家の解体を意味するのだ。つまり、公的な医療と保険を切り捨て、教育予算を限界まで削り、年金制度を破壊し、そうやって奪ったカネを（減税や還付などの形で）グローバル資本に付け替えることが命題なのである。そしてその結果国民がどうなろうが知ったことではないのだ。新自由主義とは新植民地主義《ネオコロニアリズム》の別称なのである。

24

電撃作戦を仕掛けること。国民が権利を守ろうとして団結する前にやる方法はそれしかない。

ミルトン・フリードマン（米国の経済学者）

構造改革以降の日本は「これをやったら国が終わる」という全てをやり尽くしたのではないだろうか。労働者の非正規化、森林・水道の民営化、自由貿易の加盟、移民の解禁、種子法の廃止、遺伝子編集食品の認可、主要都市の経済特区化などはグローバル資本に莫大な富をもたらす反面、国民には損害しかもたらさないのだ。つまり日本は「獲得社会（投資家の独裁により機能が麻痺した営み）」と化しているのである。

25

私の仕事は各国の指導者たちをアメリカの商業利益を促進する巨大なネットワークに取り込むことだった。

ジョン・パーキンス（米国の元経済工作員）

結局のところ自公政権が取り組んだことは、国民が戦後から連綿と築いてきた「生きて行ける制度」の破壊だったのだ。要は多国籍資本にとって労働権と福祉権が最大の障壁であることから、彼らが活動しやすいように、これらの制度資本を悉《ことごと》く取り払ったというわけだ。そして今後この取り組みがさらに過激化することは語るまでもない。日本の政治家とは外国資本の手先となって働く卑しい買弁《コンプラドール》なのである。

26

お前は２０００万円持ってないのか？　オレなんて飲み代が２０００万円だぞ！

麻生太郎（第92代内閣総理大臣）

国は年金の不足を補うため２０００万円を貯蓄しろという。しかし貯蓄率（給与から貯金に回せる割合）が３％以下、年収２００万円未満が１０００万人超、３世帯に１世帯が貯金無し、勤労者の40％がボーナスも退職金もない非正規という惨状で、一体どうすれば２０００万円を用意できるのだろうか。すでに日本は先進国家の地位から転落し、失敗国家《フェイルド・ステイツ》の様相を呈しているのだ。

27

私は生まれ変わった！（自民党と共に）憲法改正議論を進めていく！

玉木雄一郎（日本の政治家）

立憲民主党と国民民主党は、自民党の要請に応え、日米自由貿易協定《FTA》の審議に合意したのだ。またこれに際し、共産党や社民党も、何が問題かを国民にほとんど周知しなかったのだ。つまり野党は主権が事実上消える条約の加盟にあたり与党と共謀したのだ。すでにこの国は実質的な翼賛体制（一国一党制）であり、グローバル資本を戴く委任独裁《ファシズム》の営みなのである。

28

政党制は真実と虚構を識別する能力を失わせる。

ハンナ・アーレント（ドイツ出身の哲学者）

これまでも野党は共謀罪法や特定秘密保護法の成立や、ＴＰＰやＥＰＡ《経済連携協定》など侵略的な条約の締結をまんまと見過ごしてきたのだ。また原発事故の実態を周知する取り組みも、憲法改正の危険性を訴える目立った活動もない。やはり「ヘゲモニー《協調体制》政党説」の通り、立憲や社民や共産などの野党も支配の一極なのである。繰り返すが野党は与党の敵対勢力《アドバーサリー》ではないのだ。

29

財界人たちの手先となって実動部隊の役回りを演じ続けなければ、支配構造の底辺にさえ留まることができない。

宮崎学（日本の作家）

それは与党と野党が「対位法的な位相」にあること（ピアノの左右の指の動きがバラバラに見えても協調して一つの旋律を成すような関係にあること）の証明なのだ。やはり日本の国会は与野党が対立せず、大資本の調整の下で協調し法案を成立せしめる「非競合的《アイレニック》政党制」であり、そのような談合の営みが、この国の政治の本質なのである。

30

日本の政治家がどんな公約を掲げ選挙に勝利しようと、「どこか別の場所」ですでに決まっている方針から外れるような政策は一切行えない。

矢部宏治（日本の編集者・作家）

枝野幸男が日米自由貿易協定《ＦＴＡ》の署名に先立って渡米し、ＣＳＩＳ《戦略国際問題研究所》で懇談していた事実からすれば、立憲民主党が協定の加盟に協力することが、アメリカと密約されていたのではないだろうか。現に立憲を始めとするリベラルの野党は、ＦＴＡの締結にほとんど抵抗しなかったのだ。やはり日本の議会とは、経済植民地における談合の機構であり、支配国《アメリカ》の通達を政党の発案であるかのように偽装し成立させるためのテアトル《劇場的な場所》なのである。

31

大衆は真実を求めているのではない。大衆が求めているのは幻想なのだ。

ギュスターヴ・ル・ボン（フランスの社会学者）

このように与野党が癒着する事実を突き付けられても、立憲や、社民や、共産などの支持者たちは「野党は国民のために戦っている」と妄信する態度を改められないのだ。なぜなら人間は「認知的均衡理論」の通り、自分の価値や常識に従い（事実を無視してまでも）認知の一貫性や整合性を求めるからである。これがつまり「保続」のメカニズムであり、社会学者C・フィッシャーの言う「誤謬《ごびゅう》または幻想の連続性」の原理なのだ。

32

簡単に言えば人の認知は楽をしたがるようにできている。

菊池聡（日本の認知心理学者）

新聞テレビが扱う問題が重要なことで、新聞テレビが扱わない問題は重要ではないと錯覚させることを「議題設定機能《アジェンダ・セッティング》」と言うが、実は野党にも同じ機能があるのだ。立憲、共産、れいわ、国民、社民の支持者は、彼らが扱わない問題は重要ではないと勘違いしていないだろうか？　原発事故の実態、自由貿易による公的保険や医療の解体、特別会計や天下りなど、本当にヤバい問題は野党も取り上げないのである。日本の政治は与野党の協調体制《インターディシプリナリー》によって成るのだ。

33

大衆社会とは、非エリートがエリートに操縦される社会である。

ウィリアム・コーンハウザー（米国の政治社会学者）

「メラビアンの法則」どおり、有権者は説話の内容よりも、容姿や、動作や、表情や、声の調子で説得され、知らず知らずの内に認知的節約（必要以上に認知資源を用いない傾向）に陥るのだ。要するに国民は政策や、それがもたらす結果を理解せず、「いい人そうだ」、「なんとなく好感がもてる」、「おもしろそうだ」などという上辺の印象に惑わされ投票に臨むのだ。これがこの国の政権者が得意とするポピュリズム《大衆操作政治》の原理なのである。

34

「お前たちには見せかけの権力を持たせてやるしカネもくれてやるが、本当の統治は我々が別の所で行う」ということ。

ヤスミン・スーカ（南アフリカの人権活動家）

元アイドル《SPEED》の今井絵理子が政務官に抜擢されたが、これは日本が「行政国家」であることを示唆する象徴的な出来事なのだ。要するに在日米軍と上級公務員が法律の8割以上を作ることから、「誰がどの政治ポストに就こうがどうでもいい」という論理なのだ。この国では無思考で支配層に従順であることが政治家の第一要件なのである。

35

カネで政治に影響を与えたい経団連の思惑と、献金が減って困っている自民党の思惑が一致した。

佐々木憲昭（日本の政治家）

日本経団連の政党評価システムを禁止しなければ日本は滅ぶだろう。繰り返すが消費税増税も、TPPやFTAの加盟も、移民の解禁も、派遣労働《ピンハネ》の強化も、原発の再稼働も、憲法改正すら「主要政党の政策評価」に示されたノルマなのだ。政治家はこれを達成することで献金が貰えるのだから、民意をそっちのけで私益に走るのも当然である。この国はコーポレートクラシー《企業利益優先主義》によって破滅しようとしているのだ。

36

外資企業による政治献金を解禁する政治資金規正法改悪案が可決されました。

佐々木憲昭（日本の政治家）

国民の代表が民意を汲み取り法律を作ることが民主主義の原則である。しかし日本では経済団体が国民の代表にカネを払い、都合のいい制度を推進させているのだ。例えば日本経団連の要請によって4兆円の社会保障費が削減されているが、浮いたカネは国庫に入るのではなく、彼らの減税の原資となり、それが外国人投資家の配当に化けるというカラクリなのだ。経済権力は政治権力（国民の代表議会）より常に上位なのである。

37

上に行くほどバカが出てくる日本社会の構造は植民地特有の構造である。

兵頭正俊（日本の作家）

安倍晋三の在任期間が憲政史上最長となったのは、あれほど外資に都合のよい政治家はかつて存在しなかったからだ。つまり関税の廃止、水道・森林の民営化、主要都市の経済特区化、種子法の廃止など、（一国の宰相《トップ》としてマトモな見識があれば）到底受け入れられない要求を実行したことから地位が確保されるというわけだ。要するに「これだけは出来ない！」という禁忌《タブー》がないから重宝されるのだ。植民地のトップの要件とはこのような人間の軽さなのである。

38

歴史が証明しているのは、日本の最高裁は政府の関与する人権侵害や国策上の問題に対し、絶対に違憲判決を出さないということです。

矢部宏治（日本の編集者・作家）

最高裁裁判官を始めとする法務官僚のトップ14名全員が、安倍内閣の肝煎りによって任命されている。今後は政権に不都合な訴訟（例えば原発事故に関わる賠償や、除染土の広域処理の中止や、遺伝子組み換え食品や遺伝子編集食品の禁止や、企業団体献金の規制や、ＴＰＰを始めとする敵対的な条約からの離脱など）の一切を退けることが可能となるだろう。法治国家としての日本はすでに終わっているのだ。

39

凄いな、今の安倍内閣。20人の閣僚のうち安倍晋三を筆頭に過半数の11人が「統一教会」に祝電を送ったりイベントに出席したりしてるイカレた顔ぶれだよ。

きっこ（日本の言論者）

自公政権は日本会議、神道政治連盟、創価学会、統一教会などの関係者《ステークホルダー》で占められている。日本の政教分離は全く建前であり、この国の政権はカルトの集合なのである。そしてこのような者たちが戦争国家の再興を目指す「主戦論者」であるという恐怖なのだ。現実はホラー映画よりも余程戦慄的《せんりつてき》ホラーなのである。

40

そ、それは、い、今井議員がですね。その中において、そ、その中において、わたくしは、ゆ、指が、そういうことをやったら、そういうことになってしまうんですね。

安倍晋三（第98代内閣総理大臣）

カルトの手口とは愚物を教祖に仕立て上げ、それを背後から操ることなのだ。そしてこの国の政権も同じ方法論《メソッド》で営まれているのである。だからこそこの構図における改憲がどれほど危険であるかをよく考えなくてはならない。神道カルトで纏《まと》められた昭和の日本が示す通り、迷信の狂熱の先には破滅しかないのだから。

41

日本が家産官僚体制たるゆえんは、官吏が税金と自分のカネを同一視していることだ。

小室直樹（日本の社会学者）

れいわ新選組が特別会計の実態解明を公約に掲げていたが、これに踏み込むと石井紘基議員のように暗殺されるかもしれない。特別会計とは官僚利権の核心であり、日本国最大のタブーなのだ。しかし200兆円規模の特別会計が国会の審議を受けず、被選挙権のない官僚によって秘匿的に編成される構造を変えなければ、国民は過剰発行される国債によって（役人が作る借金の肩代わりによって）永久に搾取され続けるだろう。

42

官僚が天下り先を確保するために、特殊法人の下に3000社も子会社を作っている。

石井紘基（日本の政治家）

公務員の給与、退職金、福利厚生、天下りの補助金、財政投融資の返済などを合算すると、国税62兆円を上回るだろう。つまりこれにより国家予算を編成するカネが消えていることから、毎年100兆円規模の借換債が発行され、その償還のため社会保障や教育などの予算がゴッソリ削られているのだ。国民は公務員という特権階級《アリストクラート》の養分なのである。

43

官僚が描いた青写真を現実化するために努力することが政治家の役割であり、その意味で政治家は世の中を変える力など持っていない。

宮崎学（日本の作家）

独立行政法人を始め、○○連盟や○○機構などの外郭団体に属する「みなし公務員」の給与はさらに高額なのだ。官制経済とはこのような生産性のない団体を４６００社も設立し、そこに２万５０００人の官僚ＯＢが天下り、国税と地方税の全てを食い潰す営みなのである。これがつまり「国家の内部にある国家《ステイツ・ウィズイン・ステイツ》（国の機構でありながら国の規制を受けない利権の集合体）」なのだ。

44

秘密保護法によって日本の報道の自由は世界最下位レベルのウズベキスタン程度まで下がるだろう。

ジャパンタイムズ（日本の英字新聞）

行政国家（公務員が政治家より権力を持つ体制）の問題は人件費だけではない。天下り団体とその傘下企業は出資金や運営費を税金で賄っており、それでも足りないことから郵貯・簡保・年金から500兆円もの資金を借り入れながら、その返済や償還の実態がほとんど不明なのだ。年金財源の枯渇はこれらの融資が不良債権化したせいだとも指摘されるが、特定秘密保護法により40数万もの公文書が黒塗りされた今となっては、実態の解明は不可能なのである。

45

仕事がないのなら風俗で働け！

生活保護を申請に来た女性に対応した大阪市の職員

緊縮財政が叫ばれながら、独立行政法人やその傘下企業への予算が毎年12兆円も計上されている。これは要するに公務員が再就職して不労所得を得るための原資《マネー》なのだ。この内2割でも福祉に回せば、低所得世帯へフードスタンプ《食糧券》を支給したり、高齢者の医療負担を減らしたり、給付型の奨学金を増やすこともできるだろう。官僚利権は社会開発の犠牲の上に成るのだ。

46

この国の財政はあまりにも複雑怪奇で、もはや財務大臣ですら実態が分からない。

石井紘基（日本の政治家）

よくよく考えなくてはならないことは、流行りの「国債をドンドン発行せよ論」によって誰が利益を得るのかということだ。それは語るまでもなく、100兆円もの国税・地方税を特権的に私物化している公務員や、独立行政法人に連なる官制グループ企業群なのだ。つまり野放図な財政運営の受益者は「税金の使途を議論されないことによって利権を温存する彼ら」なのである。

47

日本の官僚は内閣を乗っ取っている。ナチスの全権委任と全く同じことが行われているのだ。

小室直樹（日本の社会学者）

石井紘基の暗殺は官僚利権を追及する議員への恫喝《どうかつ》だったのだろう。この事件を境として、マトモな政治家は口を噤《つぐ》み、特別会計や特殊法人、天下りや財政投融資（国の外郭団体による郵貯や年金からの借り入れ）などへの追及が消えたのだ。今やこの国の議会は自粛と禁止語集《レキシコン》の営みなのである。

48

政権のお家芸は〝証拠隠滅〟だけではない。〝証拠捏造〟もあれば〝証人の口封じ〟もあり、〝虚偽証言〟もある。どう見てもまともな政権ではなく反社会的勢力である。

松尾貴史（日本のコラムニスト）

8年分の毎月勤労統計が廃棄されていたのだが、これはおそらく消費税率引き上げにあたり、賃金の伸び悩みが周知されることが不都合だったからなのだろう。つまり行政は増税の障害となる賃金低下の証拠《エビデンス》を焼くという暴挙に及んだのだ。現代の日本ではディストピア小説『1984年』さながらに公文書が消滅しているのである。

49

や・め・ま・せ・ん、辞めません、笑。来週も３００万円強のボーナスアジャース。あと餅代ある政党は１００とか２００万追加ですね。12月は合計１０００万前後各議員に入りますね～♪

丸山穂高（日本の政治家）

中小企業庁は２０２５年頃までに小規模事業所の半数が廃業し、６５０万人の雇用と22兆円のＧＤＰ《国内総生産》が消えると予測している。そしてすでに消費税増税の影響により、小売や外食などの閉店が相次ぎ、大不況の兆しが鮮明なのだが、この最中に国会議員を始めとする公務員の給与が一斉に引き上げられたのだ。かくして今や国家は収奪装置と化し、国民経済を発展させる意思を全く持たないのである。

（＊言葉はツイッターの原文をそのまま引用）

50

何を寝ごと言ってるんでしょうね。最初から景気は回復していない。官邸のお先棒を担ぐマスコミが「戦後最長の好景気」などと大本営発表を垂れ流しているだけです。

田中龍作（日本のジャーナリスト）

消費税増税の影響により百貨店の売上げが20％減少し、車の販売台数が25％も落ち込む渦中で、財務省は「9期連続の景気回復」と発表し、新聞テレビがそれをそのまま報道していたのだ。要は国とマスコミが結託して国民を欺いていたのである。今や日本では北朝鮮なみに情報が統制され、あらゆるニュースが虚偽宣伝《ブラック・プロパガンダ》と化しているのだ。

51

家を売れ。車を売れ。子供も売れ。

ジョン・ミリアス（米国の脚本家）

今後は主要企業が続々とリストラし、移民労働者が押し寄せ、低賃金と失業の蔓延は避けられないだろう。その上、民営化によって水道料金が高騰し、社会保険料が引き上げられ、年金が先送りになるのだから、国民が使えるカネは益々減るのだ。そうなると消費不況は歯止めが利かなくなり、税収の減少によって財政も悪化するのだ。

その先に出現するのは重債務貧困国《HIPC》の体系なのである。

52

消費税引き上げのために、国民は政府やマスコミ（全国紙、テレビ、ＮＨＫ）にマインドコントロールされてきた。

菊池英博（日本の経済学者）

消費税率2％の引き上げというのは錯覚に過ぎない。8％から10％に引き上げられるということは、旧税率に対し25％の引き上げとなるのだ。すなわちこれは旧来の税率の4分の1を加算するという大増税であり、巧妙に本質が隠されたステルス増税なのである。国民は言葉の言い換えによって印象が操作される「フレーミング効果」に気付いていないのだ。

53

市場原理主義は福祉国家の解体にあたり、その障害物となる民主的獲得物の一切を取り崩し、制度基盤を弱体化させる。

レオ・パニッチ（カナダの政治学者）

消費税率のアップは社会保障のためだと説明されている。しかし増税直後から生活保護費が削減され、後期高齢者医療保険の負担額が増し、医療費の初診料も再診料も値上げとなり、今後は国保料なども大幅に引き上げられる見込みなのだ。これは要するに増税によって確保された新たな財源が、社会保障に充てられないことの証明なのである。もはやこの国に配分的正義など微塵もないのだ。

54

巨大企業と1％の富裕層の税負担を減らすために消費税増税が強行された。

植草一秀（日本の経済学者）

これから毎年徴収される24兆円の消費税のほとんどが、大企業の還付金や富裕層の減税に充てられるのだ。そもそもこれまで徴収された累計400兆円の消費税は社会保障に1円も積立てられておらず、その上さらに増税されたのだから国民は踏んだり蹴ったりである。このように消費税とは国家のコンゲーム《信用詐欺》なのだが、未だこれに言及する俯瞰的な批判《メタクリティーク》がないのだ。

55

客観的な事実そのものまでが、党の哲学によって暗黙のうちに否定されるのである。

【1984年】 ジョージ・オーウェル（イギリスの作家）

政府は消費税増税により大不況になることを予測しているのだ。そしてそうなれば官庁に統計を改竄させ、日銀に「景気は緩やかな回復基調」などと短観させ、御用マスコミに高支持率を捏造させれば、いくらでも誤魔化せるという目論見なのである。日本という国はかくも仮作的《デッチアゲ》な営みなのだ。

56

世界は二つのブロックに分かれつつあります。プルトノミー《富裕層》とそれ以外に。

（米国シティ・グループのパンフレット）

日本経団連も消費税増税により景気が大悪化することを予測しているのだが、自分たちは輸出消費税還付によって利益を確保できるという目論見なのだ。結局のところ彼らの関心は、内部留保を積み上げ、配当を倍増させることだけであり、長期的な構想の下で経済を発展させる意思《ビジョン》など皆無なのである。国民経済は外資化した経団連のガバニング《統治行為》によって殺されているのだ。

57

庶民の富を消費税で吸い上げ、法人税を下げて、グローバル企業の内部留保を拡大し、グローバル資本が株主として吸い上げる。そういう構図。

岩上安身（日本のジャーナリスト）

グローバル企業が受け取る7兆円の輸出消費税還付について「払った消費税分が相殺されるだけだ」、「プラマイゼロで利益はない」などと反論されるかもしれない。しかし彼らは下請けに消費税分を値下げさせ、そうやって申告することにより差額を受け取るカラクリなのである。だから輸出企業を中心とする経団連グループは消費税増税を求め、執拗なロビー《献金工作》を繰り返していたのだ。諸悪の根源は法案をカネで買う政策市場《リアルト》の存在なのである。

58

僕はいわゆる欧米の植民地主義というものが、どれほど人間を根こそぎにするのかを見せつけられたのです。

金子光晴（日本の詩人）

外資化した経団連の提言通り消費税率が19％にまで引き上げられるならば、輸出消費税還付は15兆円近くになるだろう。これは実に国防予算3倍相当の額であり、かくも莫大な社会資本が彼らに付け替えられるのだ。結局全ては配当政策《ディビデンド・ポリシー》であり、グローバル企業の利益を最大化するための措置なのである。早い話、消費税とは植民地税なのだ。

59

ネオリベラル体制では国民の政治参加の機会が失われ、意思決定は多国籍企業に委ねられる。

ナンシー・スノー（米国の広報外交研究者）

消費不足による不況が20年以上も続き、実質賃金も貯蓄率も下がり続け、生活保護世帯が過去最多となり、この最中に大震災と大津波と原発事故が起き、止めを刺すように大洪水が発生したのだ。経済学の定理《テオレマ》からして、この局面では絶対に減税しなくてはならなかったのだが、日本は真逆に消費税増税を強行したのだ。為政者の関心は企業の要請に応え献金《インセンティブ》を得ることだけであり、国民の暮らしや経済など全くその埒外《らちがい》なのである。

60

はっきりしていることが一つある。大企業のための法人税減税をした分、消費税が増税されていることである。かくして大企業は空前絶後の内部留保を貯め込んだ。

田中龍作（日本のジャーナリスト）

大企業の内部留保は５００兆円を突破する見込みだ。しかし、これらの70％近くが法人税を払っておらず、払っていても実効税率を大幅に下回っているのだ。ちなみにトヨタは09年から5年にわたり法人税を払っていなかったのだが、この間には輸出還付金を受け取るばかりか、それに利息相当の１・６％が加算されるという至れり尽くせりだったのだ。消費税とはこのような大企業の特権による税収の欠損を埋める制度であり、コーポレートクラシー《泥棒企業主義》の中心手段なのである。

61

これは一国政府の陰謀といった小さいものじゃない。

ルーク・カツリス（オーストラリア出身の経済アナリスト）

多国籍企業の節税方法は80パターン以上もあるのだ。また外国《オフショア》での租税回避も黙認されており、それによって持ち出されたカネは累計で800兆円を超えるという。要するに最も税金を負担すべき大企業を最も軽減し、それを補うため最も税金を軽くすべき層に重税を課すことが日本の租税政策なのである。国民はグローバル企業の税金逃れ《タックス・アヴォイダンス》のために苦しみ喘《あえ》いでいるのだ。

62

政治献金によって成り立つ政府は、税金を財界のために使う政府なのだ。独占資本から政治献金を貰う政権は、税金を国民に還元しない政権なのだ。

羽仁五郎（日本の歴史家）

マスコミは外国人観光客が倍増したと浮かれているが、インバウンド《外国人旅行者》消費は5兆円にも満たないのだ。対し国民の個人消費は300兆円規模である。後者が僅かでも縮小すれば不況になるのだから、消費税率は絶対に引き上げてはならなかったのだ。為政者もそれを重々承知しているのだが、経団連企業の輸出戻し税が7兆円規模に増えることから、彼らの要請に応え税率の引き上げに踏み切ったのである。かくして巨大リセッション《景気悪化》は利権によって生じるのだ。

63

グローバル化された政治は一国の理想など顧みず、ひたすら利益を追い求め節操のないことをする。

ロレッタ・ナポレオーニ（イタリアの経済学者）

昭和の東京五輪の直後には、その反動によって証券恐慌（いわゆる昭和40年不況）が生じ、倒産が前年の3倍に増加したのだ。高度成長の真っ只中においてさえそのような惨状だったのだから、消費税増税によって経済が著しく縮小《シュリンク》する令和の時代において、一体どれほど酷い事になるかは想像に難くないだろう。もはやこの国は経済《エコノミック》観念《・センス》を全く持たないのだ。

64

特に日本の場合、教育と医療という人間の一番大事なものが徹底的に破壊されつつあります。

宇沢弘文（日本の経済学者）

すでに日本は世界に名立たる重税国家だ。社会保険料なども実質の税金と見なせば、断トツの重税国家である。ちなみにアイスランドでは所得の40％が税金として徴収されるものの、医療も教育もほぼ無料なのだ。これに対し日本は納税の対価となるサービスが乏しく、アスピレーション・レベル《社会保障の欲求水準》が著しく引き下げられているのだが、国民はそれが多国間に跨る搾取の所産であることに気付いていないのだ。

第3章 支配の構造を知ること

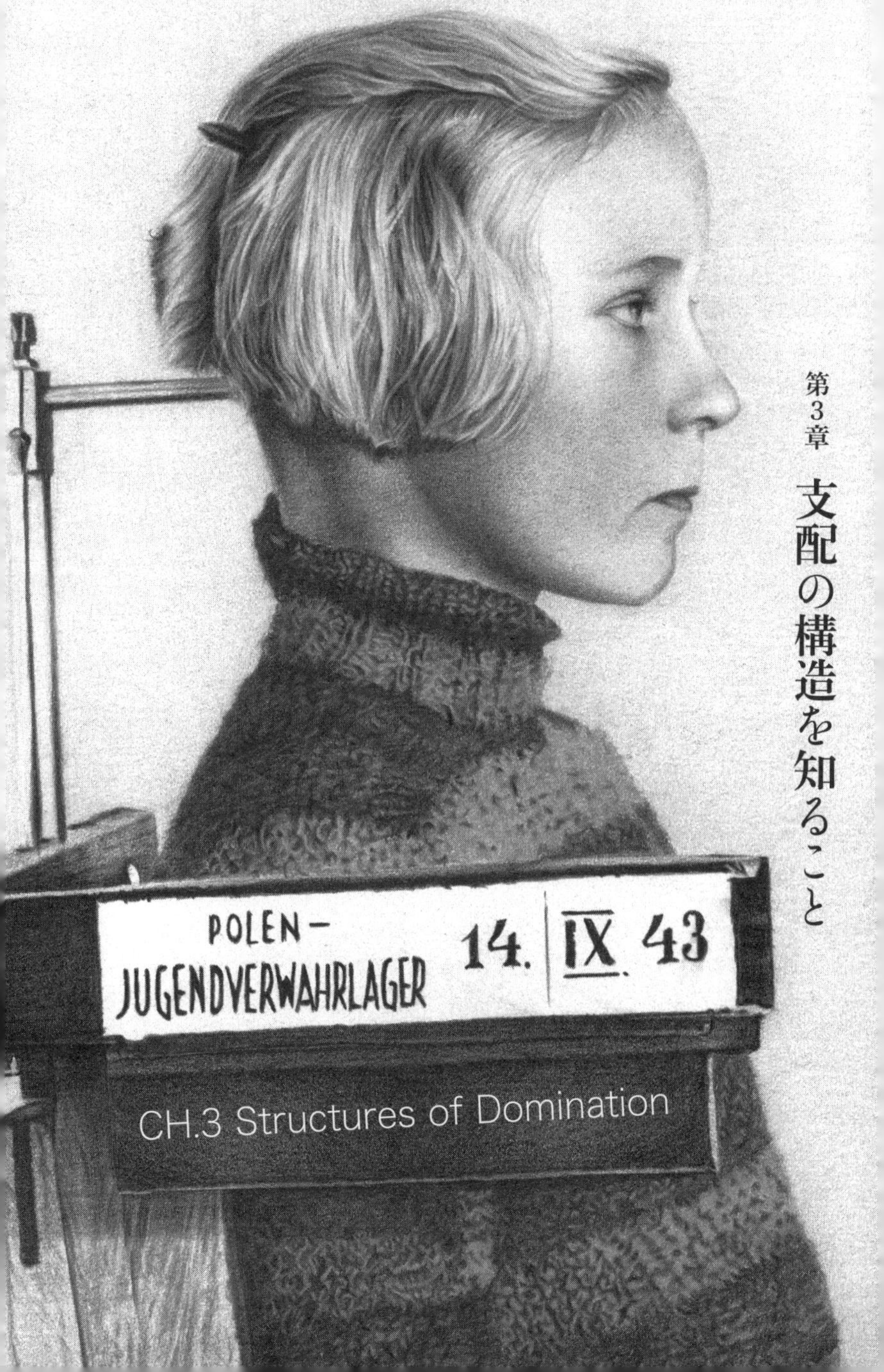

CH.3 Structures of Domination

65

アメリカを絶対に支持し、アメリカに服従する政党と政権を他国に成立させ、そのための資金をアメリカが提供する。

ガブリエル・コルコ（米国の歴史学者）

派遣法の改正も、消費税増税も、大企業減税も、年金の株式運用も、移民の解禁も、水道や森林の民営化も、TPPやFTAの加盟も、遺伝子編集・組み換え食品の認可も、残留農薬基準の大幅な緩和も、原発の再稼働も、全てが外資の要請に拠るものだ。すでに日本はアメリカが主導する広域帝国主義《グローバリゼーション》に呑み込まれているのである。

66

アメリカの繁栄は日本の稼ぎを搾取し横取りすることによって成り立っている。

清水馨八郎（日本の地理学者）

政府の保有するアメリカ国債が僅か1年で25％も積み増しされ、120兆円規模に達している。これは所有権も決裁権もない形だけの債権であり、有利なレートで売却し為替益を得ることが許されない空手形なのだ。日本はかくも莫大なマネーを、社会保障や産業振興に充てられないばかりか、償還時に円高となった場合は、数兆円の為替損すら被るのである。アメリカ経済はこのような「帝国の貢納制」によって成り立っているのだ。

67

つまり「占領軍」が「在日米軍」と看板をかけかえただけで、１９４５年からずっと同じ形で同じ場所にいるわけです。

矢部宏治（日本の編集者・作家）

アメリカの外交軍事委員会は、在日米軍に防衛戦力がないことを明言している。やはり日米同盟は建前に過ぎず、国内にある１３４ヵ所の米軍基地は実効支配の道具として置かれているのだ。早い話、彼らは米国資本に都合のよい政策を推進させるために軍隊を駐留させているのだ。未だ日本は限定的な自治権だけを許され、主要な法案が宗主国《アメリカ》によって決定される疑似国家《クアズィ・ステイツ》なのである。

68

オレは（日本に）メキシコ人を２５００万人送ることができるぞ！ そうなればオマエ《安倍総理》は即刻退陣だからな！

ドナルド・トランプ（第45代アメリカ合衆国大統領）

アメリカは日本政府が在日米軍に拠出する予算から４３０億円を抜き取り、メキシコ国境の壁の建設費に充てるという。その上さらに在日米軍の駐留負担を４倍に引き上げるよう求める横暴ぶりだ。そもそも不法移民が激増したのは、アメリカがＮＡＦＴＡ《北米自由貿易協定》によってメキシコの農業を潰したせいであり、日本のカネでその後始末をするのはどう考えてもおかしいのだ。やはり日本は主権国家《ソブリン・ステイツ》として認められていないのである。

69

日米合同委員会の決定事項が、憲法も含めた日本の法律よりも優先されるということです。そのことを総理大臣の私は知らなかった。

鳩山由紀夫（第93代内閣総理大臣）

日本を実質支配する日米合同委員会（在日米軍と省庁幹部との会合）の上に何があるのか一度よく考えてみるべきだろう。この委員会は本国《アメリカ》の政権の指令で動いており、本国《アメリカ》の政権は多国籍企業のロビー《買収工作》によって動いているのだ。そしてこのようなメタ・ガバナンス《統治の統治》によって日本の制度が決定される仕組みなのである。だとすれば、これは東インド会社という私企業が軍隊を従え植民地を支配した様式と瓜二つではないか。

70

植民地は大国の関与によって半分だけ自立した国をいう。政治的に独立していても軍事基地が置かれているような地域、独立が与えられていない国や地域が新植民地だ。

松岡正剛（日本の著述家）

日米会談でレッドカーペットに上がろうとした安倍晋三が、ドナルド・トランプに制され慌てて引き下がる場面が報じられていた。これは「属国の雇われ支配人と宗主国の代表」という位階を告げる象徴的シーンだったのだ。つまりアメリカの大統領は身体動作《シニフィアン》によって日米関係の本質《シニフィエ》を示したのだ。日本は国際法上では独立国の体裁であるが、実際には主権が認められない「未承認国家」なのである。

71

コングロマリット（多国籍企業）の本質は独占資本である。彼らはアメリカの大統領を支配する力すら持っているのだ。

羽仁五郎（日本の歴史家）

アメリカは触媒国家《カタリティック・ステイツ》なのだ。つまりアメリカが日本を支配しているのではなく、グローバル資本がアメリカの議会を仲介として日本を支配しているのである。だから国家対国家という図式《シェーマ》で捉えてしまうと、問題の本質が不明となるのだ。日米自由貿易協定《FTA》などもALEC《米国立法取引協議会》を始めとする企業団体の主導であり、侵略的な対日政策はアメリカの政界に巣くうロビイスト《利益代行者》たちによって図られているのだ。

72

日本の水道は全て民営化する！

麻生太郎（第92代内閣総理大臣）

この国では保守政党が外資からカネを貰い民営化や規制緩和を主導しているのだ。つまり売国奴が右翼を名乗り、日の丸を掲げ、愛国を絶叫しながら、領土や資源や市場を売り飛ばしているのだ。今時代の錯乱はこのような観念の逆転《ディセミナシオン》によって生じているのである。

73

嘘をついても恥じることなく、約束を破っても、支離滅裂でも、「とにかく言い負かせば勝ち」の時代が再び訪れたのだ。

三輪眞弘（日本の作曲家）

右翼左翼に二分して考えることは止めよう。今や保守政党は売国策を推進し国を護る気などなく、リベラルも対立を装いながら彼らと一致協力している。民族主義団体も労働組合も外資に買われているではないか。この構図が見えないのであれば、根本的に理解を欠いているのだ。現代ではグローバリズム《広域帝国主義》を推進する立場か否かが、人物や組織の判断基準《メルクマール》となるのである。

74

安倍総理は日本を破滅させた人物として歴史に名を残すでしょう。自国通貨の価値を下げるなんて狂気の沙汰としか思えません。

ジム・ロジャーズ（米国の投資家）

金融緩和で過剰供給された通貨《エン》が株価を押し上げ、東証プレイヤーの7割を占める外資をぼろ儲けさせている。しかしその一方で通貨《エン》の希釈（経済ボリュームを超えた紙幣の発行）が円安をもたらし、国民は資産の目減りや原材料の高騰に喘いでいるのだ。一国の通貨の破壊はテロリズムに匹敵する行為であり、非公式戦争の一形態なのである。

75

「ひたむきさ」や「感動」がオリンピックという欲望機械を動かす燃料として搾取される。

吉岡洋（日本の美学者）

オリンピックは単なる商業イベントである。これによって政治家や、ゼネコンや、組織委員会や、広告代理店や、マスコミは利益を得るが、開催国の国民は費用《コスト》を押し付けられるだけなのだ。まして日本の場合、原発事故が収束しておらず、国内に難民が生じている状態で開催を決定していたのである。オリンピックとは利権者たちのパノプリ乱痴気騒ぎ《パノプリ》なのだ。

76

君が奴隷であることだ。生まれたときから匂いも味もない牢獄に入れられている。

【MATRIX】ウォシャウスキー兄弟（米国の映画監督）

子ども食堂が7000ヵ所に増えるほど貧困が広がる中、自民党が外国に150兆円を超えるカネをばら撒く理由は、ODA《政府開発援助》などの斡旋料《コミッション》が、商社やゼネコンを通じてキックバックされるからなのだ。関係者の証言によると、相場は送金額の5%位だという。これはおそらく政治資金収支報告書には記載されず、オフショア《国外》の匿名口座に振り込まれているのだろう。国民は多国間に跨《またが》るレベニューシェア《利益配分の営み》の食い物にされているのだ。

77

私は国民の生活が大事などという政治は間違っていると思うのです。

稲田朋美（日本の政治家）

そもそも子ども食堂があること自体おかしいのだ。なぜならこれは国が憲法第25条に規定された「文化的な最低限度の生活を営む権利」を保障せず、福祉を民間に丸投げしていることを意味するからである。子どもの飢えは民間の篤志《フィランソロピー》に委ねるのではなく、公費で解決すべき問題であり、「小さな政府（最小福祉国家）」の増長を許してはならないのだ。

78

植民地の経営においては利益の追求が最大の目的であり、原住民の福祉など眼中にないのは当然である。

清水馨八郎（日本の地理学者）

７人に１人の子どもが３度の食事を取れないほど貧困が深刻化している。しかし政府は自国の飢餓をよそに、１５０兆円を超えるカネを対外援助に投じているのだ。結局のところ「ＯＤＡ《政府開発援助》をやればキックバック《賄賂》が得られるが、国民に尽くしたところでカネにならない」というのが本音なのだろう。このような国《ニホン》にドナー《外国支援》国の資格など無いのだ。

79

良心の欠如と強欲さが一人の人間の中で重なり合うと、恐ろしい存在が出来上がる。

マーサ・スタウト（米国の心理学者）

小泉進次郎が国民的英雄のように持ち上げられているが、彼は種子法の廃止で中心的役割を果たした人物なのだ。また彼の実父である小泉純一郎は減損会計で東証企業の多くを外資に売り飛ばし、派遣法改悪で勤労者の４割を非正規という不安定な身分《プレカリアート》に沈めた張本人である。つまりこの親子が忠誠を尽くしているのは日本の国民ではなく外国の資本なのだ。

80

カネを巻き上げるのなんかちょろいもんさ。あっけないのなんの。盗むなってほうが無理な話だよ。

ルイス・パシューツ（米国の元証券ディーラー）

中国人が来日すると高齢者が働いていることに驚くという。中国では都市戸籍か農村戸籍かによって違いはあるものの、女性は早ければ50歳位から年金を支給され、男性も大体60歳から受け取れることから、先に経済大国になった日本にマトモな年金制度がないことが信じられないというのだ。我々の老後資金はすでに証券市場を通じて奪われ、海外の投資銀行の口座に移転しているのだが、国民は未だこのような資産移転《アセット・トランスファー》の仕組みに気付いていないのだ。

81

支配者にとって大衆が知識を持つことは不都合なのである。

ジョヴァンニ・ジェンティーレ（イタリアの哲学者）

国債の増刷によって景気の回復を図るという奇説が流行っているが、これは全く実態を伴わない空理空論である。そもそもこの理論の支持者たちは、国民が納税によって国債の元本利息を支払うという基本原則も、毎年にわたり国税の40％以上が国債の償還に充てられていることも理解していないのだ。人類学者のD・グレーバーが『負債論（現代人が諸々のローンに縛られ自由を失っているという説）』に記したとおり、現代の日本も国債を鎖とする債務奴隷制《デット・スレイブリィ》の営みなのである。

82

エリート以外は実直な精神だけ持っていてくれればいい。

三浦朱門（日本の第7代文化庁長官）

コロナワクチンの薬害を引き起こした政治家は誰一人逮捕されていない。これにより2000人以上が死亡しているにもかかわらずである。また集団接種が原因と見られる超過死亡は20万人を超えているが、国会も、マスコミも、これほどの大問題を追及しないのだ。この国の体制は中世的なアリストクラシー《特権身分による支配》なのである。

83

はっきり言います！韓国という国はクズ中のクズです！もちろん国民も！

百田尚樹（日本の作家）

嫌韓ブームは為政者にとって好都合だったのだ。なぜならそれにより日米自由貿易協定《FTA》の締結や（関税の撤廃により日本の畜産農業が壊滅し、保険医療や知的財産権の分野まで外資に乗っ取られる件や）、消費税増税や、公務員給与の引き上げなど、都合の悪い問題の一切から注意を逸らすことができたからである。国民は嫌韓報道という「メディア間の共振性（マスコミが一斉に同じことを同じ論調で伝えること）」に惑乱されていたのだ。

84

いい朝鮮人も、悪い朝鮮人も、みんな殺せ!

大阪で開催されたヘイトデモのシュプレヒコール

要するに報道機関はコリアノフォビア《朝鮮嫌悪》によって国民を陽動していたのだ。つまり朝鮮民族に対する憎悪と偏見を掻き立てることにより、増税や、改憲や、原発事故や、侵略的な自由貿易から関心を逸らしていたのだ。これは内政問題に外交問題をあてがうことにより支配《アウフ》を強化《ヘーベン》する古典的な統治手法であり、ヘーゲル弁証法の政治的な応用なのである。

85

韓国と戦争したい！
日本刀持って斬りにいくねん！

百田尚樹（日本の作家）

日韓対立の発端は、日本の貨物から放射線が検出されたことを受け、韓国政府が日本製品の輸入禁止に踏み切ったことなのだ。これは彼らにとって自国民を守るための当然の措置と言えるだろう。そもそもアメリカやEU諸国も日本製品の輸入規制を全面解除しておらず、韓国だけを槍玉《やりだま》に挙げることは全く見当違いなのである。結局のところ、このような事実を公《おおやけ》にしないために韓国の「悪玉化」が図られていたのだ。

86

ナチス・ドイツのワイマール憲法もいつの間にかナチス憲法に変わっていた。誰も気が付かなかった。あの手口に学んだらどうか。

麻生太郎（第92代内閣総理大臣）

政治に排外主義《ジンゴイズム》を用いる様式はナチが台頭した当時のドイツと酷似している。韓国人への差別が公然と語られる様相も、憎悪を希望の原理に転化する方式も、国民がヘイトで一つに纏《まと》まる錯乱も、ファシズム前夜のドイツと瓜二つである。だとすればこれは独裁主義が復古する兆候としての事件なのである。

87

無知とは知識がないのではなく、疑問を発せられない状態を言う。

フランツ・ファノン（アルジェリアの解放闘争指導者）

グローバリズムによって社会の周辺に置き去りにされた人々は、本来であれば多国籍資本に敵意を向けるはずだ。しかし彼らはそうするのではなく、関係のない韓国人を憎悪することによって鬱憤《うっぷん》を晴らし、現実の支配構造に思惟を巡らせず、そのような蒙昧《もうまい》な態度が保守だと信じて疑わないのである。つまりこれは典型的なパラノイ《偏執的》ド・ナショナリズム《愛国主義》なのだ。

88

社会が段階的に権威主義化する国では、自分が権威の側にいるという全能感で、批判者を恫喝する「突撃隊」的な人間が我が物顔に振る舞うようになる。

山崎雅弘（日本の文筆家）

パラノイド・ナショナリズム《偏執的愛国主義》は欧州や豪州でも見られるが、行為者の多くは人種や国籍以外にアイデンティティ《自己意識》を持たず、また政治経済の知識も極めて乏しいという。だから「自分たちが不遇なのは外国人のせいだ」という単純な因果関係《スキーマ》をデッチ上げ、過激な排斥運動に没頭する内、いつしかそれが自己目的化するのだ。つまり手段であったヘイト《差別行為》が目的に変わるのだ。これが嫌韓《ヘイト》運動が生じるメカニズムなのである。

89

要するに「誰が得をするか」という問題を吟味するしかないのである。

ジョセフ・シュンペーター（チェコ出身の経済学者）

韓国が「反日」と非難されている。しかし、日本を核ゴミの処分場にしようとしているフランスは「反日」ではないのだろうか？　東証市場を通じて年金を奪い取るアメリカは「反日」ではないのだろうか？　日本にミサイルを発射する北朝鮮の開発ファンドを運営するイギリスは「反日」ではないのだろうか？　そもそも外国に経済市場や社会資本を売りとばす日本政府そのものが「反日」ではないのだろうか？　我々は一度自分の認識を徹底して疑ってみるべきなのだ。

90

対立するものを与え、それを高みから統治せよ。

ゲオルク・ヴィルヘルム・フリードリヒ・ヘーゲル（ドイツの哲学者）

マスコミの嫌韓報道に乗せられてはいけない。韓国は97年から、日本は01年から、それぞれアメリカの指導の下で新自由主義《ネオリベラリズム》を推進しており、今や両国は同じ国家主義《イデオロギー》体制なのだ。また多国籍企業と在留米軍によって主要な法案が決定される事情も酷似している。つまり日韓対立は、属領のアジア人が互いに憎悪し合うよう仕向けられる分割統治の構図なのだ。

91

我々が『虚実の自由』という名の檻の中でサル《日本人》を飼うのだ。

ハリー・S・トルーマン（第33代アメリカ合衆国大統領）

日本人は未だ根深い差別感情を抱えているのだろう。しかしアジア人全般を指すモンゴリアンという言葉が、近代の欧米圏では先天性障害の意味で用いられていた通り、彼ら《アングロサクソン》から見れば日本人も数多《あまた》の有色人種と同じ蔑視《ヘイト》の対象なのだ。要するに我々も差別される側なのである。このような優越主義《シュプレマティズム》の理解なくして、グローバル社会における自身の位相を窺《うかが》うことなどできないのだ。

92

独占資本をどうするかを問題にしなければ、何事も根本的な解決はできないところまできている。どのような問題でも掘り下げていくと、独占資本がその巨大な姿を現わしてくる。

羽仁五郎（日本の歴史家）

コロナワクチンの接種後に２０００人以上が死亡している問題でも、集団接種が原因と見られる超過死亡が20万人を超えている問題でも、総理大臣や担当閣僚が責任を追及されることはないだろう。市場国家においては与党、野党、マスコミ、検察、警察、裁判所は利権で連なるお仲間であり、政治家はグローバル資本に忠誠を尽くす限り地位が保障されるのだ。これがつまり日本社会の仕組みであり、ボーダレス・ポリティクス《国境を超越する統治》の概観なのである。

93

日本国民のほとんどは日米合同委員会の存在を知らない。そこで決まったことが政治家に指示されて法案化する。国民はこの実態について無知なのだ。

兵頭正俊（日本の作家）

日本社会が崩壊する近未来では「アイツのせいでこうなったのだ！」という単純な世論が形成されるのだろう。すなわち亡国的な事態が政治家個人の帰責として片付けられ、その後も人々は同じ体制《レジーム》に回収されながら全く気付かないのだ。そろそろ国家元首すら睥睨《へいげい》する「匿名な権力の具現者」について議論すべきではないだろうか。

94

暴君に最も都合のよい観念は神の観念である。

スタンダール（フランスの小説家）

そもそもバチカンの本体は宗教事業協会《IOR》というファンドであり、文字通り宗教ビジネスによって得たマネーを運用する投資銀行なのだ。つまりバチカンも多国籍企業のステークホルダー《利害関係者》であり、国際通貨基金《IMF》や、世界保健機関《WHO》や、世界貿易機関《WTO》や、各国の王室などと並ぶインターナショナルな支配装置なのである。

95

まず降伏を勧告しなさい。もしその町がそれを受諾し城門を開くならば、その全住民を強制労働に服させ、あなたに仕えさせねばならない。

旧約聖書　第20章10節

カトリックは大航海時代から征服地住民の思想・価値・規範の統一を図る道具として用いられてきたのだ。グローバル資本に支配される中南米諸国が示すとおり、それは現代においても強力な統治ツールなのである。このような視点からすれば、日米FTAが議決される直前に教皇が訪れたのは偶然ではなく、グローバリズム《多国籍企業支配》の推進のため征服地住民《ニホンジン》を教化する狙いだったのかもしれない。現実として主権喪失という重大問題が、彼の訪日騒動によって国民の意識から消え失せていたのだ。

96

「ならず者経済」とは、共産主義の崩壊とグローバリゼーションの台頭という20世紀最大の経済的変化によって解き放たれた凶暴な力なのだ。

ロレッタ・ナポレオーニ（イタリアの経済学者）

支配層がこれほどまでにやりたい放題できる事情は、ロシア（旧ソ連）と中国が市場国家化し、共産主義や社会主義という資本主義の敵が消失したことなのだ。つまりどれほど民衆を虐待しても、すでに対抗《オルタナティブ》する思想が死絶しており、革命が生じる懸念がなくなったことにより搾取が過激化しているのだ。これが現代世界で資本が猛威を振るう原理《アルケー》なのである。

97

彼らはいい身体つきをしており、見栄えもよく均整がとれている。素晴らしい奴隷になるだろう。

クリストファー・コロンブス（イタリアの探検家）

派遣法の改悪により勤労者の半数近くが不安定な派遣の身分に貶められたのだが、その一方で外国人投資家の配当は5倍に増えたのだ。かつて奴隷貿易会社はパリや、アムステルダムや、ロンドンの証券取引所に上場し、平均6%の利回りを叩き出したが、派遣制度という現代日本の奴隷制から生じる富《キャピタルゲイン》はその比ではないのだ。

98

グローバリゼーションによる企業の搾取は、大西洋を舞台にした奴隷貿易を超える激しさになった。

ロレッタ・ナポレオーニ（イタリアの経済学者）

通貨価値で換算すると、日本の派遣社員は古代ローマの奴隷よりも安く使われているという。当時の奴隷は貴重な財産であったことから大事に扱われ、衣食住が保証された上に結婚も認められ、子どもを作ることもできたのだが、日本の派遣社員は家庭を持つことすらままならないではないか。外国人投資家はこの国の新下層《プレカリアート》を奴隷以下の動産《モノ》に眼差しているのだ。

99

派遣労働が低賃金なのは当たり前。気ままに生活して賃金も社員並みというのは理解できない。

御手洗冨士夫（元日本経団連会長）

安倍政権下では非正規社員が３０４万人も増加している。今や働く者の半数近くが使い捨て《プレカリアート》という状況を正さなければ、景気が回復するはずもないだろう。すなわち内需を喚起させ経済を正常化するには、ハケンという現代の奴隷を解放し、正規雇用を義務付けるしかないのだが、派遣制度の強化が日本経団連の要望であることから、かくも重要な問題《イシュー》が国政から抹消されているのだ。

100

この時代を一口に言うと、白人による世界植民地制覇の時代である。

清水馨八郎（日本の地理学者）

派遣社員からピンハネされた賃金は、外国人投資家の配当に化ける仕組みだ。ゆえに正規雇用を義務付けようとすれば、ＴＰＰやＦＴＡの枠組みでＩＳＤＳ《投資家対国家紛争解決》訴訟されるだろう。しかもラチェット条項により一旦決定した事は絶対に変更が許されないのだ。国民は甘く考えているが、通商条約による内政干渉は労働の分野にまで及ぶのである。

101

企業が忠誠を尽くす相手は株主であって国民ではない。

デイヴィッド・M・ウォーカー（米国の会計検査院院長）

大企業が莫大な内部留保を貯め込む背景には、ムーディーズによる格付けがあるのだ。つまり自社の株価を維持するために内部留保の増大を強いられているのだ。また国際会計基準《IAS》がフリーキャッシュ《自由に使える》フロー《現金》を重視することも内部留保の過剰の要因である。そのために日本企業は研究開発費を削り、リストラに励み、正社員を派遣に置き換え、浮かせたカネをひたすら内部留保に充てているのだ。つまり外国人投資家の配当のために500兆円という莫大なマネーが退蔵《リザーブ》され、それが経済の血栓となり、消費不況が四半世紀以上も続いているのである。

102

国境を越えた資本主義が完成し、それが中流層から富を奪い、グローバル時代の新有閑階級を支えている。

ロレッタ・ナポレオーニ（イタリアの経済学者）

日本社会の荒廃をよそに、ＵＢＳやクレディ・スイスを筆頭とする投資銀行は、単年で６００兆円を租税回避地に送り、オフショア《国外》の資産総額を３０００兆円規模に積み上げたのだ。つまり国民のカネは消えたのではなく、彼らの口座に移し替えられたのである。格差も貧困も地球的なゼロサムゲーム《勝者総取り競争》の所産なのだ。

103

彼らは資本主義モデルの代替として成功例となりそうな社会の誕生を阻止するのです。

ウィリアム・ブルム（米国の歴史家）

現在の日本の社会状況は崩壊前のソビエトと酷似している。すなわち特権官僚《ノーメンクラトゥーラ》が税金を私物化し、政治家が公営企業やインフラを外資に売りとばし、経済も財政もメチャクチャになったところで原発事故が起きるという（ソ連邦の崩壊と）同じプロセスを辿っているのだ。貴方はこの相似《シミラリティ》を否定できるだろうか？

104

サブリミナルも強力な情報の刷り込みです。実際、人間は顕在化された情報よりも、サブリミナルの情報に影響されるのです。

苫米地英人（日本の認知科学者）

令和を英訳すればorder an obedience《服従を命令する》である。和＝日本人とすればcommand the Japanese《日本人を支配する》という意味にもなるのだ。また外国人移民を受け入れる初日に公布されたことからすれば、demand the succession《人種の混淆を指令する》とも読み取れるだろう。だとすれば、これは支配人種が新しい元号に託したメタ・メッセージ《真意の声明》なのである。

第4章 意識の操作と現実の偽造

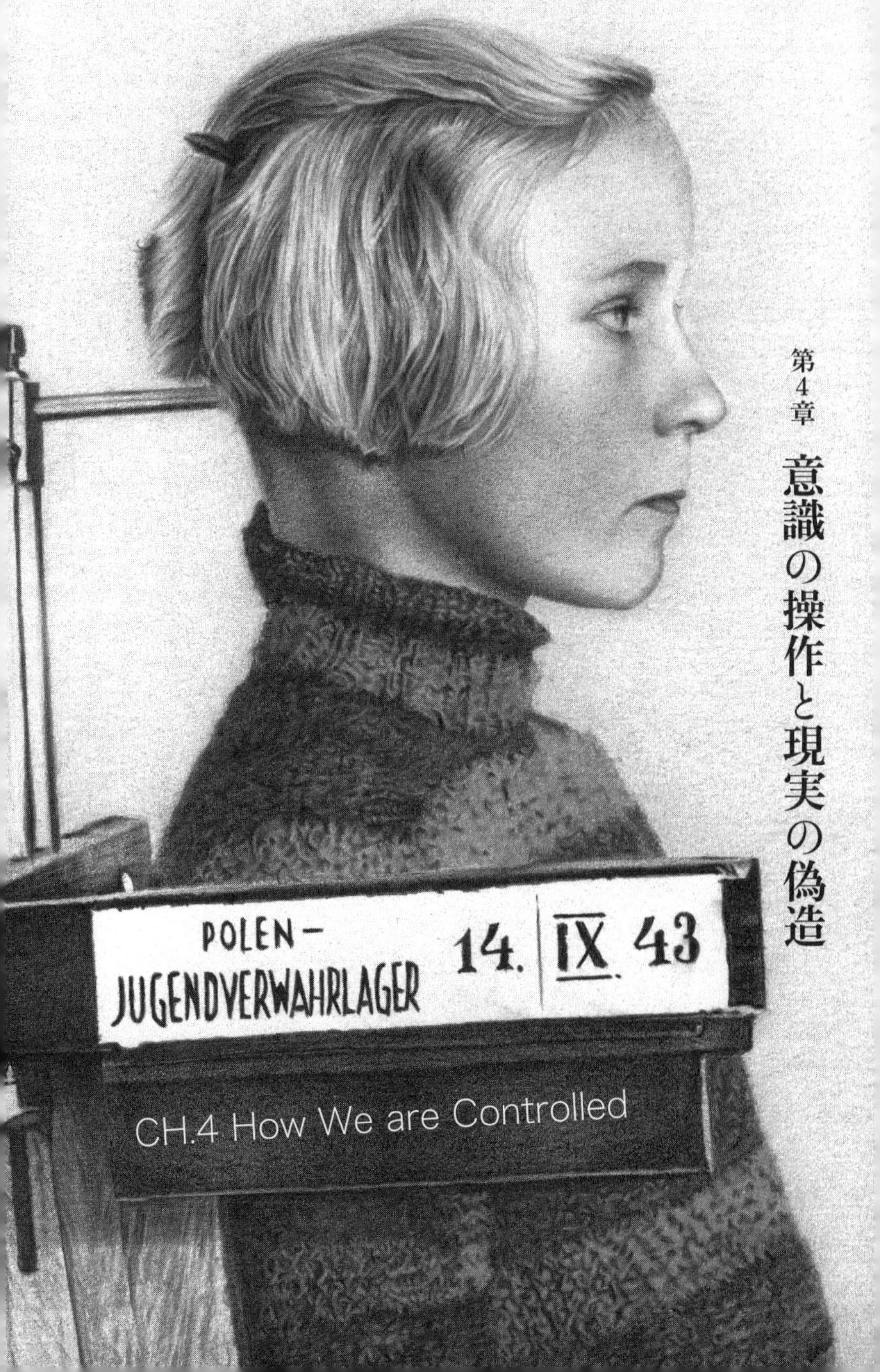

CH.4 How We are Controlled

105

我々は新聞テレビによって無知にされているだけではない。感覚すら殺されているのだ。

羽仁五郎（日本の歴史家）

中小企業の廃業が過去最高となり、経済指標の大半が戦後最悪を更新中にもかかわらず、新聞は「景気はゆるやかな回復基調」などと書き立て、内閣の支持率が過半数を超えたと報じていたのだ。かつて自公政権はガヴァメント・バイ・プロパガンダ《宣伝によって成り立つ政府》だと記したが、これはもはやガヴァメント・バイ・ブレインウォッシング《洗脳によって成り立つ政府》である。

106

私たちが自分たちの世界について無知なのは、マーケット・マトリックス《経済幻想の網》に囚われているからである。

ロレッタ・ナポレオーニ（イタリアの経済学者）

新聞テレビは景気の底打ちを訴えているが、実際の経済は大悪化しているのだ。このような虚言が横行する事情は、統計データの算出やサンプリングの方法が（良い数値が出るよう）繰り返し変更されたことに拠るのだ。今や日本の統計的有意性（統計の信頼性）は失墜し、エビデンス《裏付け証拠》のない言説が公式化し、あらゆるニュースが実態を伴わないのである。

107

お終いには党が2足す2は5だと発表すれば、その通り信じるようになるだろう。

【1984年】ジョージ・オーウェル（イギリスの作家）

消費税率が10%に引き上げられた月の倒産件数は前年同月比5%増だったが、これはあくまで負債額1000万円以上のケースなのだ。小規模事業者の自主廃業が過去最高であることからすれば、実態はその数倍酷いのである。さらに同月の輸出が10%、輸入が20%それぞれ減少し、首都圏マンションの発売戸数が30%も落ち込んでいたことからすれば、日本経済は加速的に縮小しているのだ。それにもかかわらずNHK《公共放送》は「安倍政権は安定した経済によって長期化した」などと欺騙《デマ》を繰り返していたのだ。

108

嘘も１００回繰り返せば真実になる。

アドルフ・ヒトラー（ドイツの政治家）

政権がどれほど経済や外交に失敗しても、どれほど雇用や財政を悪化させても、御用新聞や御用テレビが好景気だとか最高の支持率だとか喧伝し、批判を封じ込める仕組みが出来上がっているのだ。近代史を概観すれば、このような政治と報道の癒着が破滅をもたらすことは論を俟《ま》たない。ファシズムとは事実が歪曲され公論が潰えた営みなのである。

109

経済の退廃ぶりを理解するには、政治とメディアが作る幻想の網を突破しなければならない。

ロレッタ・ナポレオーニ（イタリアの経済学者）

全国紙の世論調査によると、自民党の支持率が40%を超えるというのだが、これはフェイクニュース《捏造報道》の最たるものだろう。そもそも賃金やGDP《国内総生産》成長率は過去最悪であり、貯蓄率や貧困率を始めとする諸指標《メルクマール》もほとんどがワーストを更新しているのだ。また好調とされる株価は、年金や郵貯などの国民の資産を投じて吊り上げた偽装相場によるものである。今や世論調査は政権のアドボカシー《おべんちゃら》広告と化しているのだ。

110

GHQが最も活用したのは、NHKと、朝日新聞と、岩波書店であった。

清水馨八郎（日本の地理学者）

種子法の廃止により伝統農業を破壊し、株式市場を通じて国民の老後資金を外資ファンドに譲渡し、民営化により森林や水道を売り飛ばし、敵対的な貿易条約《TPP・FTA》の加盟によって主権を明け渡しているにもかかわらず、これらの一切が「ないこと」として扱われ、植民地政権の高支持率だけが報じられているのだ。戦後70余年が経過した現在も情報統制《コード》法規は解除されていないのである。

111

安倍首相と報道関係者との会食は2年間で40回以上にも及び、歴代首相の中で突出した頻度であると指摘されている。

山本太郎（日本の政治家）

国内メディアは安倍晋三の在任が憲政史上最長となった事を慶賀の如く報じていたが、外国メディアは「犯罪の疑惑が続々と取り沙汰されているにもかかわらず長期政権になった」と指弾していたのだ。やはり日本はテレビ局や新聞社のトップが総理大臣と宴会しながらニュースの内容を決定するイカれた国なのである。新聞倫理や放送倫理に記された報道の独立性は建前に過ぎないのだ。

112

服従しろ。型にはまれ。消費しろ。疑問を持つな。思考するな。いつも眠っていろ。テレビを見ろ。権威に逆らうな。

【They Live】ジョン・カーペンター（米国の映画監督・脚本家）

ドイツではマスコミがナチスの道具として利用された反省に立ち、読者が新聞に反論を掲載できる「反論権」が保障されている。対し日本ではそのような双方向的《インタラクティブ》な制度がなく、報道機関の説話が一方的に事実として流通するのだ。我々が警戒すべきことは、オーディエンス・エンゲージメント《報道に対する妄信的な態度》に付け込まれ意識が操作されることなのである。

113

現実は外在的なものではないのだよ。現実は人間の頭の中にだけ存在するものであって、それ以外のところでは見つからないのだよ。

【1984年】　ジョージ・オーウェル（イギリスの作家）

今や支配層はいかようにでも国民の意識を操作できるのだ。好況が続いていると誤認させることも、日本が世界に名立たる先進国だと妄想させることも、原発事故が収束したと錯覚させることも、民主的で平和な社会が在ると錯認させることも、一切が報道の操作によって可能となるのだ。この欺瞞の様式がメディアクラシー《媒体による支配》なのである。

114

放送の全てが政府や独占企業のコントロール下にある。これらの組織は体制を維持するために、一般人が知的になることを妨げているのだ。

ジョージ・オーウェル（イギリスの作家）

読売、朝日、毎日、産経、日経という全国紙5社が、それぞれ日テレ、テレ朝、TBS、フジ、テレ東という5つの系列局を従えている。そして北海道、中日、西日本という3つのブロック紙があり、これに共同と時事という2つの通信社と、NHKという公共放送を加えた僅か16社がマスメディアを独占しているのだ。これがすなわち「16社体制」という報道のカルテル《独占形態》なのである。世論は自然に生じるのではなく、このような独占的な機構によって人為的に作られるのだ。

115

日本のメディアは忖度が極まれりで、韓国よりもはるかに報道の自由度が低い。

鳩山由紀夫（第93代内閣総理大臣）

相変わらずキー局や全国紙の幹部が総理大臣と飲食を繰り返しているのだが、ＥＵ《欧州諸国》などでこのような破廉恥《ズブズブ》が発覚すれば、ジャーナリストは即刻辞職に追い込まれるのだ。おそらくこれほど公然とマスコミと政治家が癒着する国は日本だけだろう。これはもはや報道と権力が談合するナチ的な媒体政治の営みなのである。

116

放送事業者免許を担保に、それを仕切る総務省を牛耳る政権には、大手マスコミは盾つけない。

百合花梨（日本の編集者）

テレビ局全社の営業利益は3兆円を超えるが、そのコストである電波利用料は僅か34億円なのだ。つまり各局は総務省の定めた電波利用共益費の1％も払っておらず、営業利益に対する電波コストはゼロコンマ数％なのである。このような便宜供与からも支配と報道がワンセットであり、テレビ局のオーナーである新聞社も同じ共謀関係にあることが理解できるだろう。マスメディアを妄信する者は愚か者でしかないのだ。

117

イメージは現実を覆い隠す。イメージは根源的な現実の不在を隠蔽する。そうしてイメージは現実と乖離し純粋なシミュレーションとなる。

ジャン・ボードリヤール（フランスの哲学者）

新聞各紙が一面トップで小泉進次郎の入閣を伝え、ワイドショーがこぞってこの話題を取り上げていた。しかし彼は画期的な議員立法を成立させたわけでもなく、それどころか妄言《ポエム》のオンパレードで内外から顰蹙《ひんしゅく》を買う始末であり、何の実績もない一介の世襲議員に過ぎないのだ。それにもかかわらずマスコミは彼を国民的英雄の如く持ち上げ、次期総理大臣の有力候補であると印象操作していたのだ。これは「理由なく前提を立てる虚偽」という詐術《さじゅつ》の手法なのである。

118

宣伝とは大衆を確信させるため、最も単純な概念を何千回と繰り返し憶えさせる事である。

アドルフ・ヒトラー（ドイツの政治家）

高齢で働き続けることが美徳であるかのような宣伝《プロパガンダ》が繰り返されている。しかしこれは国が年金積立を財政投融資（特殊法人の借り入れ）や株式の運用で使い込んだことによるのだ。だから年金の支給開始年齢を引き上げ、定年の延長を義務付け、高齢者を働かせる目論見なのである。我々はあらゆる美談の裏には支配の思惑があるとする「指令主義」の立場から物事を捉えなければならないのだ。

119

我々がニュースだと思い込んでいる情報の40％は、広告代理店や企業や官庁などの広報によって作られたものだ。

ナンシー・スノー（米国の広報外交研究者）

KAT-TUNの元メンバーによる大麻事件が世間を賑わせていたが、その騒動の裏では「国有林法改正案」がひっそりと成立していたのだ。これは最長50年にわたり国有林の伐採・販売の権利をグローバル企業に与え、植林の義務すら免除するというトンデモない法律である。結局スキャンダルはこの件から国民の注意を逸らす陽動《スピン》だったのだ。ニュースとはかくも被作出的《ひさくしゅつ》なイベントなのである。

120

エクスタシーなんてバブル時代までは合法で、（略）駄菓子みたいなドラッグで、夜の六本木に行けば誰でも普通にやってたのに、安倍晋三の生贄にされたエリカ様、お気の毒なう。

きっこ（日本の言論者）

日米自由貿易協定《FTA》の採決を控えた3日前に沢尻エリカの麻薬《MDMA》事件が報じられたのだが、これは事前に（陽動《スピン》のため芸能人のスキャンダルが大々的に報じられるだろうと）予測されていたことだったのだ。そして案の定この事件が連日トップニュースとして扱われ、国民は侵略的な貿易協定の締結に全く気付かなかったのである。これがまさに情報環境によって意識が操作される「コントロール社会」の様式なのだ。

121

まただよ。政府が問題を起こし、マスコミがネタにし始めると芸能人が逮捕される。これもう冗談じゃなく、次期逮捕予定者リストがあって、誰かがゴーサインを出している。

ラサール石井（日本のタレント）

TPP（環太平洋パートナーシップ協定）署名の直前で清原和博が覚せい剤所持で逮捕、森林売却法成立の直前で田口淳之介《元KAT-TUN》が大麻所持で逮捕、日米自由貿易協定《FTA》承認の直前で沢尻エリカが合成麻薬《MDMA》所持で逮捕されているのだ。これを偶然だと片付けるには土台無理があるだろう。外資と、政界と、警察と、マスコミが連携して陽動《スピン》を仕掛け、「非公式帝国の門戸開放主義」を押し進めているのだ。

122

相手国民の精神の解体が最も有効な戦略である。

アンドレ・ボーフル（フランスの軍事戦略家）

日本人は「非公式戦争」について無知なのだ。すなわち直接的に武力を行使するのではなく、相手国民の知性を解体する戦争の形態を知らないのだ。そしてその中心的な兵器が、バラエティや、お笑いや、野球や、サッカーなどのコンテンツ《番組群》であることに気付いていないのだ。これにより経済市場と社会資本を奪われ、丸裸にされる寸前であるにもかかわらず。

123

アメリカは日本に対する経済侵略について、日本人が関心を持たず、警戒せず、無知でいるよう、娯楽番組やスポーツ番組を膨大に流している。アメリカはこれを「心理的再占領状態」と明言している。

ガブリエル・コルコ（米国の歴史学者）

現在の我々が外国から見て一体どれほどマヌケか考えてみるべきだろう。野球や、サッカーや、ラグビーで浮かれている間に、各国の投資家はＴＰＰ・ＥＰＡ・ＦＴＡの枠組みで、日本をＩＳＤＳ《投資家対国家の紛争解決》訴訟する準備を着々と進めているのだから。そうなれば何兆円ものカネが毟《むし》り取られるのだが、国民がそれを全額負担することになるのだ。

124

大衆社会の特徴とは非エリートの操作可能性である。

ウィリアム・コーンハウザー（米国の政治社会学者）

かつて人類が体験したことのない巨大な「大衆社会（エリートが非エリートを操作する体系）」が出現しているのだ。そしてその中心ツールが、サッカーや、野球や、ラグビーなどの公的レクリエーションなのである。これにより国民は問題を捉え対処する知性を失い、画一的同調行動の群れと化しているのだ。現に関税自主権が撤廃される歴史的な局面において、大衆はそれ《FTA》に関心すら持たず競技に熱中していたではないか。

125

軍事力で占領政策を展開すると同時に、文化と経済をワンセットにした占領政策が周到に作られた。

内橋克人（日本の経済評論家）

「いくらなんでもそれはこじつけだ。政治とスポーツをごっちゃにするな！」と反論されるかもしれない。しかしそもそもヘゲモニー《覇権》という言葉は、政治と文化の同時的な指導性を表すのだ。つまり政治と文化は常にワンセットであり、「文化理論」の通りスポーツ（広義の意味での文化）は統治の手段なのである。国民の集合精神《ハイブマインド》はこのような文化政策によって作られるのだ。

126

無思考こそが階層社会の基盤である。

【1984年】　ジョージ・オーウェル（イギリスの作家）

現在《いま》の日本はグローバリズムと原発事故が同時進行するという歴史上最大の危機に立たされているのだ。この局面で野球やラグビーやサッカーに熱狂し、対処を怠ることがどれほど愚かであるかは説明するまでもない。これはつまりスポーツ《運動》・ナショナリズム《愛国主義》とジョックス《運動馬鹿》が醸《かも》す壮大な痴愚なのである。

127

政治宣伝は客体の知的水準が下位になるほど効果を発揮する。

ジェームズ・フレイザー（イギリスの社会人類学者）

小泉進次郎は詭弁術士《ソフィスト》なのだ。彼の発話を分析してみれば、〝環境問題はセクシーに〟のような妄言で議論を回避する「吐き気を催す論証」、汚染水問題を問われて全く関係のないことを答える「チューバッカ弁論」、何に対しても〝今のままではいけない〟などと同じことを繰り返す「壊れたレコード」など、誤謬《ごびゅう》（論点や問題のすり替え）のテクニックが駆使されているのだ。

128

故意に嘘を吐き、その嘘を心から信じ、都合が悪くなったら全て忘れる。

【1984年】　ジョージ・オーウェル（イギリスの作家）

国会も多くの誤謬《ごびゅう》を用いている。例えばTPPやFTAの加盟に際しては外国産品が安く入手できるなどと説きリスクには触れない「片面表示」、原発事故の報道に際しては〝絆〟や〝復興〟などの美麗な言葉を散りばめ印象を操作する「充填された語」、汚染水の放出に際しては著名な学者に安全だと言わせる「権威による論証」など手口は枚挙にいとまがないのだ。

129

大衆は言説の論理に感銘するのではなく、言葉が作り出す響きやイメージに感銘する。

ギュスターヴ・ル・ボン（フランスの社会学者）

誤謬《ごびゅう》はマスコミによる世論操作の中心ツールでもあるのだ。顕著な例として、除染土の拡散に際しては臆見や私見を安全の根拠にする「事例証拠」、改憲に際しては多くの国民が望んでいるのだとする「多数派論証」、あるいは旧いものを刷新することが善であるとする「新しさに訴える論証」などが用いられている。今や国体は誤《ご》謬《びゅう》によって成ると言っても過言ではない。

130

義務教育の目的はバカを作ることである。

ジョン・テイラー・ガット（米国の元公立校教師）

日米自由貿易協定《FTA》が閣議決定された際、若者たちは抗議するためではなく、ハロウィンで馬鹿騒ぎするため渋谷に大集結していたのだ。これは諸外国に比べ日本の民度が桁違いに低い証明と言えるだろう。今や誰もがスマホを所有しているのだから、少し検索すれば今後何が起るか分かるにもかかわらず、彼らはその程度のリテラシー《情報能力》も問題意識も持たないのだ。結局のところ日本の教育カリキュラムは、民衆を均質に俗物化《ダス・マン》させるための手続きなのである。

131

君はどうやって現実とそうでないものを見分けるのだ？

【MATRIX】ウォシャウスキー兄弟（米国の映画監督）

そもそも日本人は考える教育を受けておらず、考えること自体が苦手なのだろう。自分の意見を口にしていると思っていても、その大半はテレビや新聞の寸言《ストック・フレーズ》を無意識に反復するパロティング《オウム返し》に過ぎないのである。つまり国民は自分の意識が外部から移植されたものであることに気付いていないのだ。

132

シャンペンの炭酸を抜くように、大衆の頭から思考力を抜き取る。

アドルフ・ヒトラー（ドイツの政治家）

もはや人々は関税自主権が無くなるという意味すら分からないのだ。要は開国した１５０年前よりも民度が下がっているのだ。筆者はこれが文化と報道が織りなす環境によって、知性や精神の在り方が決定されるという「管理社会説」さながらの状況だと考えている。こうなると支配層は、増税も、社会保障の切り捨ても、言論の統制も、出版の検閲も、憲法の改悪すらも易々とできてしまうのだ。

133

美しいことだね、言語の破壊というのは。

【1984年】 ジョージ・オーウェル（イギリスの作家）

厚労省が「非正規労働者」を省内禁止用語にするとぶち上げたのだが、これはディストピア小説『1984年』に登場する言語破壊政策と瓜二つの構想だ。語彙を持たないことは観念を持たないことであり、観念を持たないことは思考を持たないことなのだから、語彙の抹消によって格差問題を不明にする目論見なのだろう。

134

全体主義は人間に絶対必要な言語とその意味を剥奪する。

ジャック・ル・ゴフ（フランスの中世史家）

当たり前だが「非正規労働者」という言葉を抹消したところで、非正規労働者の貧困や、それに端を発する内需の悪化や、少子化などの問題が解決できるわけではない。むしろ諸問題が不可視化され、潜在し、集合化することによって事態は益々悪化するのだ。全ては「今ごまかせればそれでいい」というアドホック《その場限り》な論理で進行しているのである。

135

人間に対して暴力がなされるところでは、言葉にもそれがなされる。

プリーモ・レーヴィ（イタリアの作家）

地方官庁の「臨時職員」が「会計年度任用職員」と呼び名を変えられている。要は人間の使い捨てをもったいぶった言い方で誤魔化しているのだ。また自衛隊の中東への「派兵」も「派遣」という言葉に代替《だいたい》されているが、これらは要するに先の大戦で「敗走」を「転戦」と、「略奪」を「調達」と称したパラフレーズ運動の再興なのである。「言語決定論」のとおり人間や社会の有様は言葉によって決まるのだ。

136

大衆は自分たちに対する精神テロも、自由を奪い取ろうとする悪意も理解できないのである。

エーリッヒ・フロム（ドイツの社会心理学者）

吉本興業が100億円の国費を支給され教育事業に進出するというのだから世も末だ。憲法改正による軍事国家化や、原発事故の拡大や、自由貿易による主権の喪失や、消費税増税による倒産失業の増大など破滅的な事件が目白押しであることから、支配層は国民を雛《ひな》壇《だん》芸人のような軽薄な群れに仕立てたいのだろう。かくしてメタ《超》・オブスキュランティズム《愚民政策》が推進されているのだ。

137

ファシズムは背理なのだ。これがあたかも論理であるかのように受容される時、ファシズムは民主主義を葬ることが可能となる。

羽仁五郎（日本の歴史家）

「安全で平和だから訪日客が増えました」VS「周辺国と緊張状態だから改憲します」。「放射能は危険だから除染します」VS「除染土は安全だから公共事業で再利用します」。「財政が悪化しているので増税します」VS「増税したので公務員の給与を引き上げます」などのように、この国の言っていることは全く辻褄が合わないのだ。つまり我々は矛盾語法《オクシモロン》によって支配されているのである。

138

ただ矛盾を調整することによって権力を無限に保持できる。

【1984年】ジョージ・オーウェル（イギリスの作家）

経団連のグループ企業が「人員の過剰」を理由に45歳以上の解雇整理をぶち上げている。しかしそもそも彼らは「人員の不足」を理由に移民を解禁させたのだ。そして厚労省が「民間の定年が延長されたこと」を根拠に年金支給開始年齢を引き上げ、70歳までの納付を義務付けるというのだ。余りにも異様な論理矛盾や事実無視に頭がおかしくならないだろうか？　これはもはや社会を成立せしむるディセンシー《人間の真っ当さ》の崩壊である。

139

我々が大衆に見せるものが現実なのだ。大衆はそれしか知らないし知る必要もない。我々が彼らに見せなければ、現実は現実として存在しないのである。

ウラジーミル・プーチン（第４代ロシア連邦大統領）

香港の動乱が報じられていたが、現在の日本は比べものにならないほど酷い問題を抱えているのだ。特定秘密保護法や、共謀罪法や、個人番号《マイナンバー》制が強行され、原発事故の被災者の支援が打ち切られ、さらには国家元首が改憲論を唱え、緊急事態条項《ファシズム》を発令すると表明しているにもかかわらず、未だ国民は何が起きているのか理解が覚束ないのである。すなわち人々はメディアの意識操作によって「平和な民主社会」という夢幻状態《アメンチア》に在るのだ。

140

シミュラクル《虚構》はあらゆる現実との接触に先行する。

ジャン・ボードリヤール（フランスの哲学者）

民衆が世界だと信じるものはメディアスケープ《報道機関が作る疑似世界》であり、その内部にいる者と外部にいる者との間では現実認識に絶望的な乖離が生じるのだ。これが涵養的《かんようてき》差異《さい》であり、すなわち貴方と他者（友人や知人や家族）を分断する要因であり、孤独の淵源《えんげん》なのである。だからこそ理解されないことを恐れてはならない。独りで黙考する静謐《せいひつ》の闇の中でこそ宝石のような自我が育まれるのだから。

141

文化破壊は軍事侵略よりも深刻なのである。

清水馨八郎（日本の地理学者）

文化事業予算としてＡＫＢ48やＥＸＩＬＥに５００億円もの税金が投入されている。しかし問題は税金の使途よりも、彼らがテレビなどの媒体を独占することにより日本の文化水準が引き下げられ、国民の精神が退廃し、民度が著しく劣化していることなのだ。この様相が文化浄化《カルチュラル・クレンジング》であり、国家が植民地化により衰退する過程において、もしくはその結果として生じる特有の現象なのである。

142

ネット社会の現実は、それぞれが自分にあった低位の情報だけを選び、自分と同類の人間とだけ交信し、馬鹿が馬鹿とつるみさらに馬鹿になるというスパイラルとなり、その結果として白痴化することなのだ。

立花隆（日本のジャーナリスト）

現代の愚民化プログラムは、3S《スリーエス》（sex, sport, screen）にSNS《電脳社交》が加わり、4S《フォーエス》化しているのだ。SNS特有の簡易な構文や短文に脳が過剰適応すると、語彙力や読解力が衰え、その結果として思考力が劣化することが指摘されているが、これは自覚できないだけに危険なのである。端末機《スマホ》には白痴を促すカーム・テクノロジー《目立たない技術》が潜むのだ。

143

自分の姿を思い浮かべてみるとよい。そこにあるのはメディアに食い尽くされる精神である。

ニコラス・G・カー（米国の著述家）

氾濫する端末《スマホ》は国民の内省を奪い、人間の紐帯《ちゅうたい》を解き、悲憤も公憤もないのっぺりとした事物の群れに仕立て上げたのだ。それは芸術と科学が統合した大聖堂のように壮麗な知性とは全く対蹠《たいしょ》的で、ゴシップと皮相な知識から成るダンボールハウスのように貧しい自我なのである。

144

新語法の目的が思考の範囲を縮小させることだと分からないのかね？

【1984年】ジョージ・オーウェル（イギリスの作家）

これまで我々は文章を読むことにより知識や理解を深める「内化」と、文章を書くことにより言語運用力を高める「外化」によって進歩を遂げてきたのだが、端末《スマホ》のトークン《文字表記》はそれを代補し得ないのだ。「言語相対性仮説」の通り、思考が言語の質に規定されるのだとすれば、今後さらなる知性の劣化は避けられないだろう。それがまさに支配勢力が企図するところなのである。

第5章 カタストロフィは終わらない

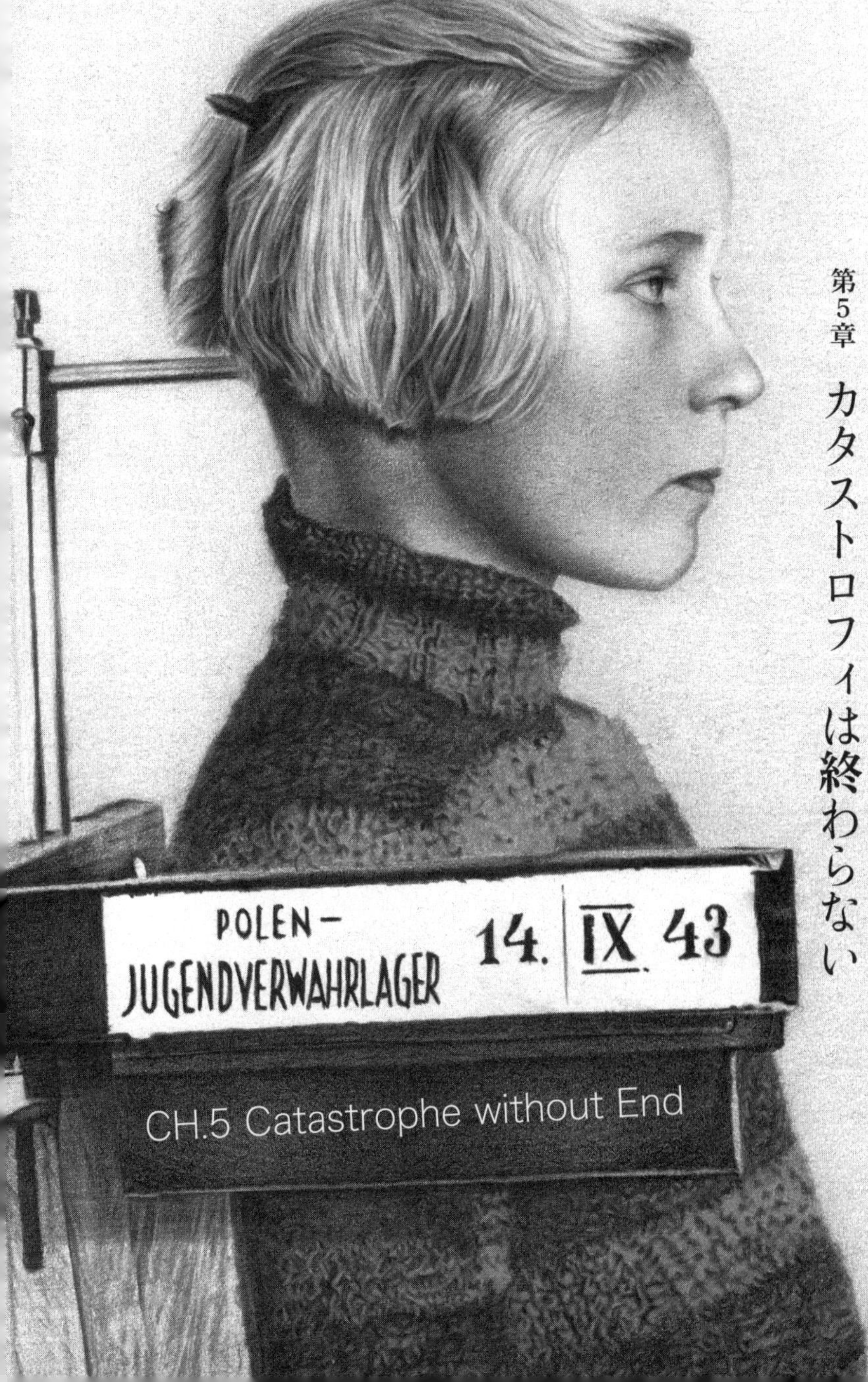

CH.5 Catastrophe without End

145

これは何を意味しているかと言うと、ほぼ確実に数年以内に、甲状腺癌になった子どもたちが大量に出現するということです。

矢部宏治（日本の編集者・作家）

チェルノブイリ原発事故は完全には収束しておらず、今なお100キロ以上離れた周辺国に被害をもたらしている。その10倍以上の規模とされる福島原発事故が、どれほどの災禍であるかは推して知るべしだろう。しかし最大のリスクは原発事故そのものよりも、原発事故に対する社会と人間の在り方なのだ。つまり現実の直視を拒む国民の逃避的態度《エスケイピズム》が最大の脅威なのである。

146

東電、県、御用学者、国は『チェルノブイリより放出放射線量は少ない』、『線量が少ないから健康被害はない』とキャンペーンし、そのためにデータを隠蔽したり、改竄したり、捏造している。

渡辺瑞也（日本の医師）

そもそも「レベル7」という最大級の原子力災害が進行する中で、放射線の影響が皆無だとは到底考えられないのだ。2019年に福島で実施された小児甲状腺癌調査では、242人に悪性腫瘍又はその疑いが認められており、通常これが100万人に1人～2人であることからすれば極めて危険な状況なのである。

147

現在の我々は強制収容所に入れられているようなものだ。

井戸川克隆（元福島県双葉町長）

被災地の病院によると、震災前と比べ甲状腺癌が29倍、白血病が10倍に増加しているという。これがもし事実だとすれば、原発事故の影響によることは間違いないだろう。しかしすでに日本人はそれに対処する知力を失っているのだ。つまり被災者をどう救済するのか、そのためにどのような制度を作るのか、その原資《カネ》を確保するためどのように社会資本の配分を見直すのか、という本質的な議論ができないのだ。かくして原発事故に関わる説話の一切が円周《おざなり》なのである。

148

普通の人間の脳はある範囲内、つまり書物や情報の揃った環境の中でしか機能しないのです。ある次元に及んでしまうと何も理解できなくなるのです。

ヤン・カルスキ（ポーランド抵抗運動の闘士）

チェルノブイリ法では1〜5mSv《ミリシーベルト》／年の地域を移住権利ゾーン、5mSv《ミリシーベルト》／年以上の地域を強制避難ゾーンに指定し、避難者には住宅や医療などを保障している。ところが日本ではこのような措置が講じられないどころか、被曝限度を20mSv《ミリシーベルト》／年まで引き上げ、定住や帰郷を強制しているのだ。しかし本当に恐ろしいことは、議会もマスコミもこれほど重大な問題を取り上げず、国民が異常に慣らされていることなのである。

149

人間の本質とは、自分の欲望のためには、どれほど卑劣で残酷なことでもやってのけることなのです。

アルボムッレ・スマナサーラ（スリランカの宗教家）

自民党が対外支援に投じたカネはすでに150兆円を超えている。しかし原子力緊急事態宣言は未だ解除されておらず、日本は他国を支援するどころか、真逆に支援を仰ぐ立場なのだ。このように野放図なODA《政府開発援助》が続くならば、被災者を救済する予算は1円も残らないだろう。やはり日本はソシオパス《理性のない者》たちが支配する国なのである。

150

家産官僚制においては、国民を煮て食おうが焼いて食おうが官僚の勝手なのである。

小室直樹（日本の社会学者）

福島では固定資産税が徴収されている。しかしそもそも行政の瑕疵《かし》によって原発事故《3・11》が生じ、その汚染によって資産が劣化しているのだから、本来であれば国は徴税するどころか賠償しなければならないのだ。要するに、これは公務員の過失による毀損《きそん》なのだから、彼らの身銭を切って弁償するのが筋なのである。それにもかかわらず、土地の価値をデッチ上げ、逆に固定資産税を毟《むし》り取るというのだから呆れた話ではないか。

151

現代の戦争とは支配集団が自国民に対して仕掛けるものであり、戦争の目的は、領土の征服やその阻止ではなく、支配構造を保つことなのだ。

ジョージ・オーウェル（イギリスの作家）

飛散した放射性物質は土と同化しているため、東京電力に取り除くよう請求できないというトンデモ判決が下されている。日本の司法制度は判例主義であることから、今後この判決が（原発事故に関わる）あらゆる賠償訴訟に適用されることは間違いないだろう。つまり被災者が救済される目途は実質断たれているのだ。

152

正統とはなにも考えないこと。考える必要がなくなるということだ。正統とは意識をもたないことなのである。

【1984年】 ジョージ・オーウェル(イギリスの作家)

いよいよ福島原発の汚染水の放出が決まった。IAEA《国際原子力機関》は「全く問題がない」と表明しているが確証はない。そもそもウラニウムや、セシウムや、プルトニウムなどの放射性核種を取り除く技術など存在しないのだ。しかしマスコミがこぞって安全宣伝を繰り返していることから、国民はそれを無意識に受け入れ、疑問を持つことすらなくなるのだ。つまり誤った情報が印象操作によって正しい情報として記憶に定着する「スリーパー効果」が生じるのである。

153

チェルノブイリで起きたように、先天性障害や心臓病になった子どもたちも数多くあらわれることが予想される。裁判所がそれを認めているのです。

矢部宏治（日本の編集者・作家）

2019年の水道水調査では福島、茨城、宮城などの被災地だけでなく、千葉、埼玉、東京、神奈川でも核種が検出されている。ちなみにセシウムボールは東京23区で2兆個飛散したと指摘されるが、未だ国民はそれが何を意味するかも、事態の深刻さも全く理解していないのである。

154

国は悪によって滅びるのではなく、その愚かさによって滅びる。

土光登美（日本の教育家）

日本は崩壊国家《コラプスド・ステイツ》と化しているのだ。現に為政者は原発事故の被災者を救済する意思を持たないではないか。要するにこの国は内戦をやっているアフリカなどの第四世界と同じ実質の無政府状態なのである。だから放射性物質が詰まったフレコンバッグ《土嚢袋》が流出しても「影響はない」の一言で片付けてしまうのだ。

155

「ジャンク科学」という呼び方がある。科学としてクズであるという蔑称的な言い方だが、政治的な意図や金銭的欲望に動機付けられた科学という意味が込められる。

菊池聡（日本の認知心理学者）

大阪市は「科学的に安全性が実証されること」を前提に福島の汚染水を大阪湾に放出するという。しかしトリチウムはもちろん、セシウムやウラニウムなどの核種を完全に濾過する技術など地球上に存在しないのだ。つまり彼らは、人間の近視眼性を克服する手段である科学を、虚言の道具として用いているのだ。今や日本はポスト《正常な》・ノーマル・サイエンス《科学の絶滅》の島なのである。

156

「原発反対の者たちが放射能でガンや白血病に冒されると言っているが、あれは〝真っ赤な大嘘〟である。国が決めたことを守っていれば絶対に大丈夫」と5時間かけて洗脳します。

平井憲夫（日本の原発技術者）

汚染水が大阪湾に放出されるならば、それに含まれる核種は海流に乗り、瀬戸内や四国や九州にも到達するだろう。そうなると日本の漁業は壊滅状態に陥り、国民経済を下支えしてきた安価で良質なたんぱく質の供給が不可能となるのだ。それだけでなく、波濤《はとう》の押し寄せる西日本の沿岸でも汚染が広がり、諸々の病気が増加することは論を俟《ま》たない。かくして国家のレジリエンス《困難からの回復力》が止めを刺されるのである。

157

War is《である》 Peace, Freedom is Slavery, Ignorance is Strength.

戦争は平和である　自由は服従である　無知は力

【1984年】　ジョージ・オーウェル（イギリスの作家）

「食べて応援！」という標語《キャッチ》は日本人の理性を破壊したのだ。つまり国民はこのイカれた措辞《そじ》（言葉の使い方）を受け入れたことにより、原発事故だけでなく、政治や社会の全般について矛盾を捉え批判する脳力を失ったのである。こうなると支配層にとって不可能はなく、暴政も虐政もやりたい放題となるのだ。標語《キャッチ》はその虚偽性と反語性においてこそ威力を発揮するのである。

158

知識へのアクセスが増えたとしても、知識の増大にはつながらない。

ニコラス・G・カー（米国の著述家）

不可思議であることは、誰もが端末機《スマホ》を持ち、膨大な情報にアクセス可能でありながら、原発事故の実態を全く理解していないことなのだ。つまり国民はＩＴの発達に反比例して知性が劣化する「象徴的貧困」に陥っているのだ。彼らが想う国家とは「原子力災害を克服し復興を遂げる日本」なのである。

159

奴隷を無知の深淵に沈め、知的選択能力を最小化し、さらに麻痺状態にする。

ガブリエル・アンチオープ（フランスの歴史学者）

「原発事故」という出来事はエピソード記憶化されているのだ。つまり「原発事故」という言葉から危険や非常事態を連想するのではなく、復興や収束をイメージする回路が大衆の脳に刻まれているのだ。現に国民の大多数は原発事故が過去の事件だと思っているではないか。恐怖とはこのようなニューロポリティクス《脳神経を操作する統治》に誰もが無自覚なことなのである。

160

〝棄民〟という言葉があります。酷い目に遭っているのに国やメディアから見捨てられた人々のことです。災害と組閣という二つを一緒に見ますと〝棄民〟の意味が分かります。

金平茂紀（日本のジャーナリスト）

立憲・社民・共産などの野党《リベラル》も、原発事故の実態を国民に周知する気配はない。被災者に医療、保険、年金、住宅、生活支援を施すことが喫緊《きっきん》の政治課題《イシュー》であるにもかかわらず、与野党はこれに取り組まないことで合意しているのだ。談合政治《シンクレティック・ポリティクス》が巨大な棄民策を推進しているのである。

161

私は放射能に感謝の気持ちを送ります。ありがとう……意識の持ち方は大切です。

安倍昭恵（第98代内閣総理大臣の妻）

環境省は8000Bq／kg以下の除染土を公共事業や農業に再利用する方針を打ち出しているのだが、これがどれほど危険であるかは説明するまでもない。しかし科学者も、有識者も、文化人も、環境保護団体もこれに抗議せず、それどころか皆大した問題ではないかのように振る舞っているのだ。今や日本は巨大な集列《セリ》（個々の責任や役割がなくただ群れているだけの状態）なのである。

162

最後はみんなカネにひれ伏した。いくばくかの感情など、大金を前にすれば吹き飛んでしまうのだ。

宮崎学（日本の作家）

恐ろしいことは、与野党だけでなく、新聞テレビや、系列の出版社や、学会の権威までもが、原子力帝国《アトム・ステイツ》に取り込まれていることだ。こうして買収された者たちが重大な情報を隠し、安全を喚《わめ》き続けることから、国民はどれほど危険な状況であるのか理解が覚束ないのである。この国は「人間の化石化（利害に囚われ人倫を失うこと）」によって滅びようとしているのだ。

163

思考停止すると凡人は怪物になる。

ハンナ・アーレント（ドイツ出身の哲学者）

原発事故によって1億人がアイヒマン化したのだ。今や政治家も、公務員も、新聞記者も、アナウンサーも、学者も、作家も、画家も、医師も、法律家も、宗教家も、右翼も、左翼も、詩人も、ロッカーも、ラッパーも、教育者も、市民も事態を矮小化する卑しい群れなのである。すなわち我々一人一人が「凡庸な悪」の構成者なのである。

164

あるエスニック集団が他のエスニック集団を非人間化することが奴隷社会の実態である。

ガブリエル・アンチオープ（フランスの歴史学者）

移民を廃炉作業に投入することが検討されている。しかし日本は多重派遣によって原発労働の実態を不明にし、追跡的な健康調査を拒んでいるのだから、今後彼らがどのような扱いを受けるかは想像に難くない。これにより派遣会社は莫大な利益を得るが、移民は僅かな賃金で超危険な作業に服するという不条理なのである。グローバリズムは労働の移動の自由を保障する一方で、人間の動産《モノ》化を加速させるのだ。

165

選手は国威発揚のための道具としか見なされていない。東京大会は『五輪』という祭典の断末魔を世界にまざまざと見せつけることになるのではないか。

谷口源太郎（日本のスポーツ評論家）

日本に「平和の祭典」を開催する資格などなかったのだ。原発事故は収束の目途すら立っておらず、被災者の補償も健康調査も進んでいない。そのような中でマスコミが戦時並みに統制され、報道の自由度は先進国中最悪《ワースト》にまで下がっている。東京五輪はナチス政権下のベルリン五輪に倣《なら》い、暴力政府が国内外にオーソリティ《権力の正当性》を誇示するために仕組まれたのではないか。

166

何を報道するのか、何を報道しないのか、何をいつどのように報道するのか、全て我々が決める。

パウル・ヨーゼフ・ゲッベルス（ナチス・ドイツの宣伝相）

吉本興業の芸人が暴力団の宴会に出たくらいで大騒ぎすることが筆者には理解できない。そもそも廃炉や除染の作業員の手配に、ヤクザのフロント企業が絡んでいるのは常識であり、国や電力会社が闇勢力とそのように懇意な間柄であることからすれば、芸人の不祥事などケシツブみたいな事件ではないか。これはつまり些末な問題を取り上げ大きな問題を不明にする「メディア・フレーミング」という認知操作なのである。

167

我々がこの文明を麻酔にかけたのだ。そうしなければ民衆は現実に耐えられないからな。だから覚醒させるわけにはいかないのだよ。

【泰平ヨンの未来学会議】　スタニスワフ・レム（ポーランドの作家）

テレビは「いかに国民の思考を麻痺させるか」を目論んでいるのだろう。原子力緊急事態宣言が12年も解除されず、放射線が原因とみられるガンや白血病が増加し、世界中が汚染水の放出を警戒する中、メディアはこのような問題をそっちのけで、連日スポーツやバラエティを流し続けているのだ。つまるところマスメディアとは社会的麻酔剤《ソーシャル・アネステジア》であり、国民が痛覚する頃には全てが手遅れなのである。

168

たった一言でもまずいことを書けば、ジャーナリストとしての生命は終わりです。全員それを知っています。我々はそのような場所で生きているのです。

ウド・ウルフコテ（ドイツの元新聞記者）

新聞記者たちが「検閲や統制など断じてない！」と筆者に反論を寄越している。しかし原子力緊急事態宣言も、最悪の原発事故を示唆する「レベル7」の評価も解除されていないにもかかわらず、彼らは「風評被害」だの「食べて応援！」だのと喚き続けているのだ。これは戦時に匹敵する統制の網が張り巡らされている証左であり、ナチ社会さながらに政治と報道が同衾《コラボ》する証明ではないのか？

169

人類史において特権階級は知識（情報）を漏出しないよう努めてきた。それが権力の源泉であり、無知無学な大衆を支配する根源であったからだ。

ウィリアム・ボナイ（米国のシステムコンサルタント）

そもそも新聞社が政府や企業に逆らって、原発事故の実態を報道できるわけがないのだ。記者クラブは国庫から毎年１００億円もの運営費が支給され、系列のテレビ局はタダ同然で公共電波を充てがわれている。その上彼らのクライアント《広告主》は「食べて応援！　キャンペーン」の協賛企業群であり、原発の安全ＣＭには年間推定１１００億もの資金が投じられているのだ。つまりこの国のメディアは官庁と企業の広報に過ぎず、シビック・ジャーナリズム《国民の側に立つ報道》は存在し得ないのである。

170

千年に一度の津波に耐えているのは素晴らしいこと。原子力行政はもっと胸を張るべきだ。

米倉昌弘（元日本経団連会長）

東北の人々は大震災と、津波と、原発事故と、洪水に見舞われ、すでに忍耐の限界を超えているだろう。だから無責任に「頑張ろう！」などと言うのは止めようではないか。経団連企業が法定実効税率通りに納税し、官庁が天下りを禁止し（外郭団体とその系列企業への補助金を凍結し）、テレビ局が正規の電波料を払うなどして応能に負担すれば、僅か1年で20兆円規模の支援予算が確保できるのだ。これに言及しない議論の一切は欺瞞《ぎまん》なのである。

171

私たち日本人は知るべきなのだ。自分たちの頭上のはるか高いところで、自分たちの運命を左右することを平然と決めている人々がいることを。全ては地政学に基づく世界覇権論理に立って動いているのだ。

副島隆彦（日本の作家）

主要国の代表が環境問題について討議するG20が開催されたのだが、案の定、中心議題は「放射性廃棄物を処分する国際的な枠組みを作ること」だったのだ。これが日本の核処理場化計画を企むヴェオリア社の差し金であることは語るまでもない。つまりグローバル企業は外部性（環境破壊によって生じる諸々の社会コスト）を国民に押し付けることにより莫大な利益を得る目論見なのだ。

172

悲観的な1億2千万人より、自信に満ちた6千万人のほうが良い。

小泉進次郎（日本の政治家）

「人生100年時代」どころか「人生50年時代」になるのではないだろうか。除染土の再利用や汚染水の放出がゴリ押しされているし、遺伝子組み換え食品や遺伝子編集食品が認可されているし、その上農薬の残留基準が最大400倍に引き上げられているのだから、どう考えても長生きできるはずがないのだ。現に死亡者数はここ数年戦後最多で推移しているではないか。これがまさに民衆の生命を独断的に処分するビオ・ポリティクス《生権力》の様式なのである。

173

異常な状況においては、まさに異常な反応が正常な行動となる。

ヴィクトール・フランクル（オーストリアの心理学者）

今や放射能が危険だなどと口にすれば、異常者の如く見られるのだ。それ程までに安全キャンペーンという教化政策は深く浸透しているのである。しかし原子力緊急事態宣言は未だ解除されておらず、世界はカタストロフィの進行を固唾《かたず》を飲んで見守っているのだ。このように本当に重要なことについて、思惟も、言及も、議論もさせない支配の諸力が「非決定権力」なのである。

174

自由は突然無くなるのではない。だんだん無くなっていくのです。気がついた時には酸欠でどうにもできなくなっている。だから兆候に気をつけるしかないのです。

宮澤喜一（第78代内閣総理大臣）

原発事故↓特定秘密保護法↓共謀罪法↓個人番号制↓憲法改正と続き、これで何が起きているのか分からなければ「鈍い」と言わざるを得ないだろう。要するにこの国は福島原発事故に端を発し、情報の開示や、避難や、賠償や、補償や、権利などについて議論させない弾圧社会を目指しているのだ。かくして民主主義《ポリアーキー》の要件が抹殺されるのである。

175

恐怖の連続だろ? それが奴隷の一生だ。

【ブレード・ランナー】 デイヴィッド・ピープルズ（米国の脚本家）

多重債務者が廃炉作業に送り込まれているという。筆者はこの問題をフィリップ・K・ディックの『アンドロイドは電気羊の夢を見るか?』になぞらえ論じてきたのだが（奴隷人間が植民地惑星の原発施設で強制労働に服するプロット《物語》さながらの未来になると警告を繰り返してきたのだが）、我々の社会はこの先駆的文学《SF》通りの様相を呈しつつあるのだ。悪夢とはディストピア的な無道徳社会の到来なのである。

176

現実の中で検証することなく、自分たちは絶対的な知識を持っていると信じる時、人々はこのように振る舞う。

ジェイコブ・ブロノフスキー（イギリスの歴史家）

国民の多くは原子力災害が自分とは無縁の出来事だと高を括り、その影響を深く考えもせず、娯楽やスポーツにウツツを抜かしているのだ。現実に気付くのはそれが自身に及んだ時なのだろう。やはり人間は過去に対するほど現在と未来に対しては賢明になれないのだ。すでにデッド・エンドを示す兆候が随所に現れているにもかかわらず、である。

177

日本なんてどうなったっていい！　オレの知ったこっちゃない！

甘利明（日本の政治家）

「放射線を発散させて人の生命等に危険を生じさせる行為等の処罰に関する法律」の第三条には、それによって被害がもたらされた場合、無期懲役などの刑を科すことが謳われている。にもかかわらず、すでに全国各地で汚染ガレキが焼却され、農地や公共事業で除染土を再利用する計画が進められているのだ。つまり日本は法律が支配集団の都合や思惑によって運用される「恣意的無法主義」の営みなのである。

178

日本の子どもたちは極めて高い線量を受けたと思われます。おそらくチェルノブイリよりも被曝しているでしょう。

ヘレン・カルディコット（オーストラリアの医師）

筆者はポスト3・11《原発事故後社会》を表す適切な一語をずっと探しあぐねていたのだ。そしてつい最近になって、それが強制収容所《アウシュビッツ》を生き延びた哲学者の言う「表象不可能性（いかなる語彙や比喩をもってしても表現できない状況性）」だと悟ったのだ。要するに原発事故以降の日本は言語に絶するほど酷い有様なのである。

179

ふと悟った。現代の特徴とは、残酷さや不安定さではなく、生気を欠いた無関心なのだと。

ジョージ・オーウェル（イギリスの作家）

ナチ占領下のポーランドでは、首都ワルシャワの一角にユダヤ人の強制収容所が設けられ、壁一枚で隔てられた先にはこの世の地獄が出現していたのだ。しかし市民はそれを他人事として関心を持たず、世間話や娯楽や飲食に耽り、事の重大さに気付いたのは収容所がワルシャワに全域化し、自分たちが当事者となった時だったのである。3・11後の我々もこれに酷似した不感症に陥っているのではないだろうか？

第6章

略奪者が構想する未来

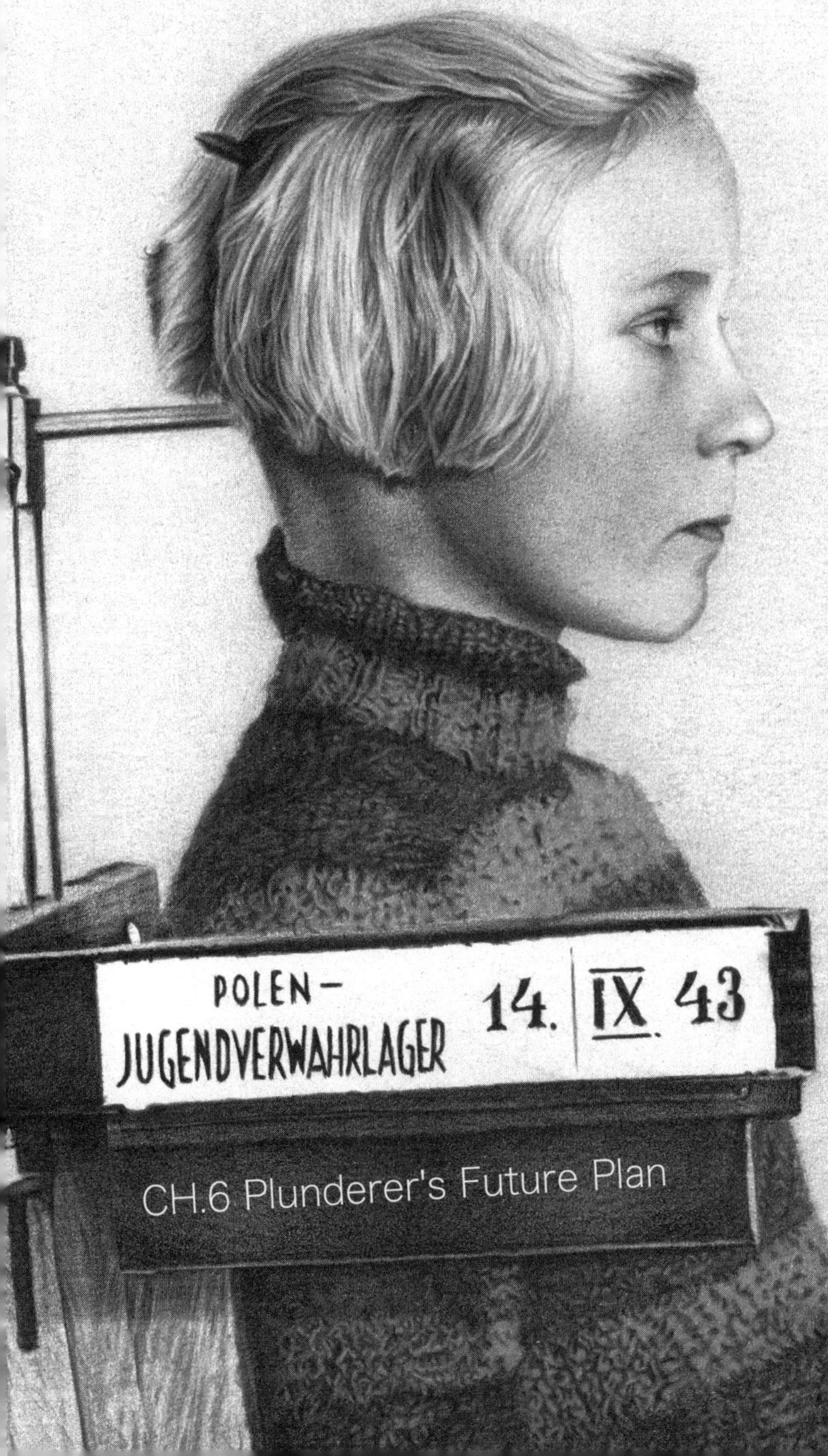

CH.6 Plunderer's Future Plan

180

正統な手続きを押しやり、立法プロセスを極端に加速させ、ショック療法で一気に法案を可決させる。

ナオミ・クライン（カナダのジャーナリスト）

改憲によって思想・言論・出版・集会の自由がなくなることも、裁判や福祉を受ける権利が実質無効になることも未だ周知されていない。つまり自由権と受益権が同時的に抹消されるという所与性（判断の前提となる情報）が不在であり、圧倒的多数の人々にとって改憲は「抽象の霧の中の議論」なのである。早い話、国民は改憲がもたらす恐怖を全く理解していないのだ。

181

政府が憲法を改正すると言い出すのは、彼らのやっている悪事が、もはや憲法の枠に収まりきらなくなるからだ。要するに憲法がうるさくて仕方がないから改憲すると言い出すのだ。

羽仁五郎（日本の歴史家）

政治学者エルンスト・フレンケルはナチ体制を「措置国家」と命名した。すなわち民主的な権利を否定し、国家が国民の生命や財産を独裁的に処分するファシズムの営みが「措置国家」であると分析したのだ。それはまさに改憲案の緊急事態条項が発動された状況であり、日本の次期国家モデルそれ自体なのである。

182

戦争は人間の霊魂進化にとって最高の宗教的行事なのです。

稲田朋美（日本の政治家）

総理大臣・菅義偉は日本会議国会議員懇談会の副会長であり、副首相・麻生太郎はその特別顧問を務めている。さらに総務相・武田良太、防衛相・岸信夫、経産相・梶山弘志、文科相・萩生田光一、内閣官房長官・加藤勝信なども（戦争国家への回帰を目指す）日本会議に所属するおぞましさである。要するに日本の内閣はネオコン《米国軍産複合体》の日本支局なのだ。（2021年当時）

183

気晴らしをする奴隷は反逆を企てない。

ガブリエル・アンチオープ（フランスの歴史学者）

共謀罪法が成立した時も日本人はバラエティを見てゲラゲラ笑っていたし、TPPが発効された時も日本人はバラエティを見てゲラゲラ笑っていたし、水道や森林が民営化された時も日本人はバラエティを見てゲラゲラ笑っていたのだから、憲法が改悪されても日本人はバラエティを見てゲラゲラ笑っているのだろう。衆愚政治《モボクラシー》が突如として恐怖政治《テロル》に転化することも知らずに。

184

国民主権。基本的人権。平和主義。この三つをなくさなければ本当の自主憲法にならない。

長勢甚遠（日本の元法務大臣）

日本は天皇制、官僚制、財閥制、新聞統制、源泉徴収、準軍隊《パラミリタリー》としての学校制など戦前のシステムをそのまま遺《のこ》しているのだ。これはナチスが復活しないよう徹底的に旧態を排除したドイツとは全く正反対の態度であり、我々の国では民主主義の再取り組み《ルシクラージュ》が致命的に欠けているのである。だからマスコミが改憲を美化して訴えるならば、国民はあっさり同意し戦時社会を復活させるのだろう。

185

小学校から大学まで学び続けても、多くの人は考えたことがほとんどないのです。

外山滋比古（日本の言語学者）

日本がこれほどの危機的状況に陥ったのは「批判理論」の不在によるのではないだろうか。つまり市民社会が高度に発達した近代において、なぜナチズムが勃興《ぼっこう》し、侵略戦争や民族浄化が生じたのかを解明する学理《アカデミズム》がなく、そのような体制を予防する手続きを怠ったことから、戦時的な悪夢社会が再来したのだ。つまりこれは我々の民度の敗北なのである。

186

スポーツの幻惑や狂騒に同化し、それに潜む暴力に対して不感症に陥ることには、細心の注意を払わなければならない。

エルフリーデ・イェリネク（オーストリアの作家）

警戒すべきことは大規模なスポーツイベントが改憲に利用されることだ。熱狂する国民はアスリートに自己投影し、挙国一致体制に絡め取られるのであり、そのような御《ぎょ》し易さが日本人のエスニシティ《種族性》なのである。現に世界ラグビーの報道が沸騰するにつれ、政権の支持率が急上昇していたではないか。この様式が産業的時間対象（テレビ番組の視聴）によって作られる世論なのだ。

187

ナチズムはヒトラーという異常者が引き起こした現象だと考えられているがそうではない。ヒトラーの背後には資本家が存在し、彼はその操り人形に過ぎなかったのだ。

羽仁五郎（日本の歴史家）

2兆円の広告費を采配する有力企業93社の幹部が「日本会議経済人同志会」に名を連ねている。つまり主要メディアの広告主である大企業のトップが、戦時体制への回帰を目指す極右団体に属しているのだ。この件からもマスコミが改憲論を盛り上げる事情が窺《うかが》えるのではないだろうか。また日本経団連の政党評価でも2005年頃から改憲が「優先政策事項」として掲げられ、自民党は以降の僅か5年の間に100億円を超える献金を拝受しているのだ。令和のファシズムは昭和のファシズムに酷似し、経済人たちによって主導されているのである。

188

イギリスは植民地のインドの人々を徴兵した。現地人を犠牲にして戦争する方式が以後すべての戦争に採用されたのである。

清水馨八郎（日本の地理学者）

細かにルビがふられた演説原稿の写真が撮られ、安倍晋三が中学生レベルの漢字すら読めないことが暴露されていた。これは彼が憲法の中身を理解していないことを示唆し、「日本国の元首は一体誰の命令で憲法を改正すると言い出したのか」という問題を提起したのだ。やはり改憲は内政という矮小《わいしょう》な枠組みではなく、国際的なパ《金》ワーエリート《融軍産複合体》の目論見として捉えるべきだろう。つまりこれは外国《アウター・》勢力《パーティ》に主導された改憲であり、自衛隊を米軍のサブ機構として再編する構想なのである。

189

お前の自由は縛り付けられ声も出せずにいる。

【MOBSCENE】マリリン・マンソン（米国のロックミュージシャン）

共謀罪法は大英帝国統治下のインドで施行された「ローラット法」の日本バージョンなのだ。つまりグローバル企業の搾取が進むにつれ国民の反発が高まることから、事前に反政府運動を封じ込める弾圧法を整備したというわけだ。現在の日米関係は当時のイギリスとインドの支配関係と瓜二つであり、あらゆる制度がこのような植民地の枠組みで決定されているのだ。そしてこの体制を強化するために改憲が企図されているのである。

190

絶対の権力は国民国家ではなく、グローバル企業の「帝国」なのである。

アントニオ・ネグリ（イタリアの哲学者）

この国の政権の最終目的とは「グローバル国家の枠組みを完成させること」なのだろう。すなわち水道や森林の民営化、関税自主権の放棄、消費税増税、派遣労働の強化、移民の解禁、株式市場を通じた年金の譲渡、主要都市の特区化、共謀罪法の施行、武器輸出の解禁など、グローバル資本から課せられたノルマをほぼ達成したことから、その総仕上げとして憲法を改正するのだ。我々に欠けているのはこのような「征服された側の視座」なのである。

191

新しい真珠湾のような事件がなければ国民は従わないだろう。

ルイス・リビー（元米国副大統領補佐官）

アメリカは同時多発テロ《9・11》直後に憲法を実質停止させる「愛国者法《パトリオット》」を制定している。そして日本はこれに追随する形で特定秘密保護法と共謀罪法を制定し、いよいよ改憲に着手しようとしているのだ。

しかし、この大元の絵を描いているのは、PNAC《米国新世紀計画》などの軍事系シンクタンクではないだろうか。現実として日米社会は彼らが起草した目論見書《スクリプト》通りに動いているのだ。

192

危機に在るという意識は、特権階級に権力を委ねることが当然であり、絶対的な生存の条件だと思い込ませるのである。

【1984年】　ジョージ・オーウェル（イギリスの作家）

グローバリズムと改憲は全く相容れない二項に思えるだろう。しかしグローバリズムとは対象国《ターゲット》の主権の無効化を意味するのだ。つまり多国籍企業は自由な活動のために進出地の憲法を廃止するのだ。そしてそれがまさに現代帝国主義の中心戦略なのである。現にイギリス、ドイツ、フランスなどの各国でも、テロを契機に時限立法が制定され、それを延長する形で憲法の一部を停止させる措置が取られているのだ。

193

治安を目的とする法案は民主主義を守るのではなく警察国家を導く。

羽仁五郎（日本の歴史家）

平和憲法は二つのベクトルによって破壊されようとしている。つまり自衛隊を米軍の下で再編し戦争国家を目指すベクトルと、原発事故の被災者の権利を抹消するベクトルが結合して改憲を押し進めているのだ。そしてこのような動機が相補し合い、弾圧と監視の体系を目指すという恐怖なのである。

194

ワシントンが「自由世界」と好んで呼んだところは人権の破局地帯であった。

ウィリアム・ブルム（米国の歴史家）

貧困層を軍隊に送り込む経済的徴兵の次は、刑務所の民営化なのだろう。それはすでにＡＬＳＯＫなどに委託する形で始まっているのだが、今後は日本もアメリカのように刑務所を工場化させ、途上国よりも安い賃金で受刑者を酷使するのかもしれない。現に各国では民営刑務所の投資信託《リート》が取引されており、刑罰のビジネス化が進行しているのだ。

195

目下《もっか》の課題は新しい世界秩序を創造することである。

ジョー・バイデン（第47代アメリカ合衆国副大統領）

インフラや公営企業の民営化、医療や教育の市場化、先軍体制（社会保障費を削減し軍事費に充てる政治）の強化、民主的権利を脅かす弾圧法の施行など、我々の社会で起きていることを見れば「日米社会20年遅延説」の通りである。すなわち常にアメリカの現在が日本の近未来なのだ。そしてそれは同時にトランスナショナル・ポリティクス《国家を超越する統一的な支配の枠組み》が在ることの証明なのである。

196

政府はＩＴ企業と一体になり、世界中に監視網を張り巡らせ、個人の通信記録を収集している。

エドワード・スノーデン（米国中央情報局の元局員）

ナチスドイツはＩＢＭ社製のパンチカード機「ホレリス」によって戸籍を管理し、徹底的に国民のソート《分類》化を図っていた。そして現代の日本も個人番号《マイナンバー》にＳＮＳやツイッターやメールなどの個人情報を合わせ、ビッグデータ《巨大情報録》を構築する目論見なのかもしれない。個人番号《マイナンバー》の受け取りを拒絶したところで、すでにそれは各々の住民票に記されているのだ。

197

表向きは民主主義国家であっても、その裏では監視社会が進んでいるのです。

ロベール・メナール（国境なき記者団事務局長）

Tポイント（ツタヤのカードを起源とするポイントシステム）を展開するカルチュア・コンビニエンス・クラブが、会員の個人情報を捜査機関に提供していたことが発覚している。いずれ日本でも香港や中国のように、個人情報と、個人番号《マイナンバー》と、LINEと、生体認証と、スマホと、監視カメラが連動したユビキタス《遍在的》な監視体制が敷かれるのだろう。それはまさにジェレミ・ベンサムが構想したパノプティ《監視刑務所》コン《社会》の現代的具現なのである。

198

偉大な兄弟が貴方を見守っている。《Big Brother is wathcing you》

【1984年】　ジョージ・オーウェル（イギリスの作家）

このところツイッターの界隈では政権批判的なアカウントの凍結やシャドウバン《検索からの排除》が相次ぎ、発信力のある人々《インフルエンサー》が当局の監視下にある実態が浮き彫りとなっている。今後は反政府運動の高まりとともに、このような検閲がより強化されることは間違いないだろう。思想警察がウェブを徘徊し、潜在的犯罪《プレ・クライム》を取り締まる時代が到来するのだ。

199

グーグル、スカイプ、携帯、GPS、ユーチューブ、Tor、Eコマース、ネットバンキングなど、個人の自由と民主主義を脅かすと喧伝されたテクノロジーは『1984年』真っ青の監視マシンと化している。

ルーク・ハーディング（イギリスのジャーナリスト）

イギリスはロンドン五輪で導入した監視カメラを、そのまま市民監視に転用している。また中国は北京五輪で導入した監視システムに2億台のカメラを追加し、さらに生体認証や顔認識の機能を取り入れ巨大化させている。日本政府もこれらに倣《なら》い、マイナンバーを国民の識別票《タグ》として、監視網を張り巡らせる目論見なのだろう。ディストピア社会に共通するのは国民の監視なのである。

200

空中に置かれた巨大な掃除機のように米国国家《N》安全《S》保障局《A》はすべての情報を吸い上げる。

ウィリアム・ブルム（米国の歴史家）

エドワード・スノーデンによると、メール、書き込み、閲覧など全てのウェブ履歴を捕捉し、個人情報を一元管理するXKEYSCORE《エックスキースコア》が、すでに米国政府から日本政府に譲渡されているという。これが運用されるならば、〝常に当局に監視されている〟という「権力の内部化」が生じ、反抗気運は一挙に萎えるだろう。TCP／IP《通信プロトコル》がアメリカ国防高等研究計画局によって開発された通り、元来ネットは彼らの支配ツールなのである。

201

こうした市民的自由に対する攻撃の動機には、反グローバリゼーションという災厄を取り除きたいエリートの願望がある。

ウィリアム・ブルム（米国の歴史家）

この国が目指しているのは「愛国者法《パトリオット》」が制定されたアメリカのような社会なのだ。それは治安《セキュリティ》を名目に監視や検閲を合法化し、反政府デモや、集会や、言論や、出版を取り締まる弾圧の体系なのである。すでに日本でも通信メールの傍受が合法化され、あらゆる個人情報が個人番号《マインナンバー》に集約されつつある通り、ジョージ・オーウェルが『1984年』に綴った超絶の監視社会が目前に迫っているのだ。

参考文献

『植民地支配と環境破壊―覇権主義は超えられるのか―』古川久雄　弘文堂
『国家緊急権』橋爪大三郎　NHKブックス
『プロパガンダ株式会社』ナンシー・スノー　明石書店
『25%の人が政治を私物化する国』植草一秀　詩想社
『国家はいつも嘘をつく　日本国民を欺く9の視点』植草一秀　祥伝社
『日本はなぜ「基地」と「原発」を止められないのか』矢部宏治 集英社インターナショナル
『インテリジェンス人間論』佐藤優　新潮文庫
『人間復権の論理』　羽仁五郎　三一書房
『君の心が戦争を起こす―反戦と平和の論理』羽仁五郎　光文社
『自伝的戦後史』羽仁五郎　講談社
『読書脳』立花隆　文藝春秋
『裏切りの世界史』清水馨八郎　祥伝社
『侵略の世界史』清水馨八郎　祥伝社
『資本主義崩壊の首謀者たち』広瀬隆　集英社新書
『東京が壊滅する日　フクシマと日本の運命』広瀬隆　ダイヤモンド社

『１９８４年』ジョージ・オーウェル　ハヤカワ文庫
『カタロニア讃歌』ジョージ・オーウェル　現代思潮新社
『ならず者の経済学』ロレッタ・ナポレオーニ　徳間書店
『ネット・バカ　インターネットがわたしたちの脳にしていること』ニコラス・Ｇ・カー
篠儀直子（翻訳）　青土社
『スノーデンファイル　地球上で最も追われている男の真実』ルーク・ハーディング　日経ＢＰ社
『政治学の基礎』加藤秀治郎　一芸社
『脳と心の洗い方　なりたい自分になれるプライミングの技術』苫米地英人　フォレスト出版
『雇用破壊 三本の毒矢は放たれた』森永卓郎　角川書店
『地下経済 この国を動かしている本当のカネの流れ』宮崎学　青春出版社
『放射能が降る都市で叛逆もせず眠り続けるのか―抵抗の哲学と覚醒のアート×１００』
響堂雪乃／281_Anti Nuke　白馬社
『北朝鮮のミサイルはなぜ日本に落ちないのか―国民は両建構造に騙されている』秋嶋亮
白馬社

『移民の経済学』ベンジャミン・パウエル　東洋経済新報社
『移民の政治経済学』ジョージ・ボージャス　白水社
『不寛容な時代のポピュリズム』森達也　青土社
『メディアに操作される憲法改正国民投票』本間龍　岩波書店
『除染と国家　21世紀最悪の公共事業』日野行介　集英社
『サピエンス全史（上下）文明の構造と人類の幸福』ユヴァル・ノア・ハラリ　河出書房新社
『ギデンスと社会理論』今枝法之　日本経済評論社
『現代政治学』堀江湛（編）、岡沢憲芙（編）　法学書院
『TPPすぐそこに迫る亡国の罠』郭洋春　三交社
『透きとおった悪』ジャン・ボードリヤール　紀伊國屋書店
『北朝鮮が核を発射する日　KEDO政策部長による真相レポート』イ・ヨンジュン　PHP研究所
『プロパガンダ教本』エドワード・バーネイズ　成甲書房
『アメリカはなぜヒトラーを必要としたのか』菅原出　草思社文庫
『泰平ヨンの未来学会議』スタニスワフ・レム　早川書房

『アメリカの国家犯罪全書』ウィリアム・ブルム　作品社
『知の考古学』ミシェル・フーコー　河出書房新社
『言説の領界』ミシェル・フーコー　河出書房新社
『エクリチュールと差異』ジャック・デリダ　法政大学出版局
『現象学』ジャン・フランソワ・リオタール　白水社
『ヨーロッパ諸学の危機と超越論的現象学』エドムント・フッサール　中央公論社
『デカルト的省察』エドムント・フッサール　岩波書店
『間主観性の現象学』エドムント・フッサール　筑摩書房
『デリダ脱構築と正義』高橋哲哉　講談社
『イデオロギーの崇高な対象』スラヴォイ・ジジェク　河出書房新社
『社会学の方法』新睦人　有斐閣
『マクドナルド化の世界』ジョージ・リッツア　早稲田大学出版部
『神話・狂気・哄笑――ドイツ観念論における主体性』マルクス・ガブリエル、スラヴォイ・ジジェク　堀之内出版
『ハンナ・アーレント　公共性と共通感覚』久保紀生　北樹出版
『法の原理　人間の本性と政治体』トマス・ホッブズ　岩波文庫

『正義の境界』オノラ・オニール　みすず書房
『方法序説』ルネ・デカルト　岩波文庫
『討議と承認の社会理論―ハーバーマスとホネット』日暮雅夫　勁草書房
『フランス現代哲学の最前線』クリスチャン・デカン　講談社現代新書
『論理哲学論』ルートヴィヒ・ヨーゼフ・ヨーハン・ヴィトゲンシュタイン　中公クラシックス
『現代思想を読む事典』今村仁司・編　講談社現代新書
『大衆の反逆』ホセ・オルテガ・イ・ガセット　白水社
『暗い時代の人間性について』ハンナ・アーレント　情況出版
『活動的生』ハンナ・アーレント　みすず書房
『権力と抵抗―フーコー・ドゥルーズ・デリダ・アルチュセール』佐藤嘉幸　人文書院
『実存主義とは何か』J・P・サルトル　人文書院
『ジャック・ラカン転移（上）（下）』ジャック＝アラン・ミレール（編）　岩波書店
『消費社会の神話と構造』ジャン・ボードリヤール　紀伊國屋書店
『フーコーの系譜学　フランス哲学〈覇権〉の変遷』桑田禮彰　講談社
『意味の歴史社会学―ルーマンの近代ゼマンティク論』高橋徹　世界思想社

『権力と支配の社会学』井上俊　岩波書店
『グローバリゼーションと人間の安全保障』アマルティア・セン　日本経団連出版
『ナショナリズムとグローバリズム』大澤真幸、塩原良和、橋本努、和田伸一郎　新曜社
『ポストモダンの共産主義』スラヴォイ・ジジェク　筑摩書房
『金融が乗っ取る世界経済─21世紀の憂鬱』ロナルド・ドーア　中央公論新社
『全体主義─観念の（誤）使用について』スラヴォイ・ジジェク　青土社
『秘密と嘘と民主主義』ノーム・チョムスキー　成甲書房
『すばらしきアメリカ帝国』ノーム・チョムスキー　集英社
『経済学は人びとを幸福にできるか』宇沢弘文　東洋経済新報社
『ニグロ、ダンス、抵抗』ガブリエル・アンチオープ　人文書院
『新聞の時代錯誤』大塚将司　東洋経済新報社
『哲学者は何を考えているのか』ジュリアン・バジーニ＋ジェレミー・スタンルーム　春秋社
『悪夢のサイクル』内橋克人　文藝春秋
『なぜ疑似科学を信じるのか』菊池聡　化学同人
『新自由主義の破局と決着』二宮厚美　新日本出版社

『新聞は戦争を美化せよ!―戦時国家情報機構史』山中恒　小学館
『ポスト新自由主義―民主主義の地平を広げる』山口二郎、片山善博、高橋伸彰、上野千鶴子、金子勝、柄谷行人　七つ森書館
『シミュラークルとシミュレーション』ジャン・ボードリヤール　法政大学出版局
『始まっている未来』宇沢弘文、内橋克人　岩波書店
『ショック・ドクトリン　惨事便乗型資本主義の正体を暴く　上・下』ナオミ・クライン　岩波書店
『テロルと戦争』スラヴォイ・ジジェク　青土社
『自由からの逃走』エーリッヒ・フロム　東京創元社
『正気の社会』エーリッヒ・フロム　社会思想社
『市場主義の終焉―日本経済をどうするのか』佐和隆光　岩波新書
『暴力とグローバリゼーション』ジャン・ボードリヤール　NTT出版
『環境学と平和学』戸田清　新泉社
『世界の知性が語る21世紀』S・グリフィスス　岩波書店
『世界を不幸にしたグローバリズムの正体』ジョセフ・スティグリッツ　徳間書店
『これは誰の危機か、未来は誰のものか―なぜ1%にも満たない富裕層が世界を支配する

のか』スーザン・ジョージ　岩波書店

謝辞

いつも大変な励ましを頂いている伊豆総業株式会社代表取締役・山田博良氏、一龍会の篠原一義氏、中村恵二氏、岡田論氏に厚く御礼を申し上げる。

◎著者紹介

秋嶋亮（あきしまりょう）響堂雪乃より改名。

全国紙系媒体の編集長を退任し社会学作家に転向。ブログ・マガジン「独りファシズム Ver.0.3」http://alisonn.blog106.fc2.com/ を主宰し、グローバリゼーションをテーマに精力的な情報発信を続けている。主著として『独りファシズム―つまり生命は資本に翻弄され続けるのか？―』（ヒカルランド）、『略奪者のロジック―支配を構造化する210の言葉たち―』（三五館）、『終末社会学用語辞典』（共著、白馬社）、『植民地化する日本、帝国化する世界』（共著、ヒカルランド）、『ニホンという滅び行く国に生まれた若い君たちへ―15歳から始める生き残るための社会学』（白馬社）、『放射能が降る都市で叛逆もせず眠り続けるのか』（共著、白馬社）、『北朝鮮のミサイルはなぜ日本に落ちないのか―国民は両建構造（ヤラセ）に騙されている―』（白馬社）『続・ニホンという滅び行く国に生まれた若い君たちへ―16歳から始める思考者になるための社会学』（白馬社）、『略奪者のロジック 超集編―ディストピア化する日本を究明する201の言葉たち―』（白馬社）、『ニホンという滅び行く国に生まれた若い君たちへ OUTBREAK―17歳から始める反抗者になるための社会学』（白馬社）、『無思考国家―だからニホンは滅び行く国になった―』（白馬社）『日本人が奴隷にならないために―絶対に知らなくてはならない言葉と知識―』（白馬社）などがある。

◎カバーデザイン（写真復元）肖像画工房

略奪者のロジック　超集編

―ディストピア化する日本を究明する201の言葉たち―

2020年４月15日　第一刷発行
2023年８月５日　第三刷発行

著　者　秋嶋　亮
校　正　熊谷喜美子
発行者　西村孝文
発行所　株式会社白 馬 社
〒612－8469　京都市伏見区中島河原田町28－106
電話075(611)7855　FAX075(603)6752
HP http://www.hakubasha.co.jp
E-mail info@hakubasha.co.jp
印刷所　モリモト印刷株式会社

ISBN978－4－907872－29－8